孟子

第二册

〔戰國〕孟子 著
崇賢書院 釋譯

北京聯合出版公司

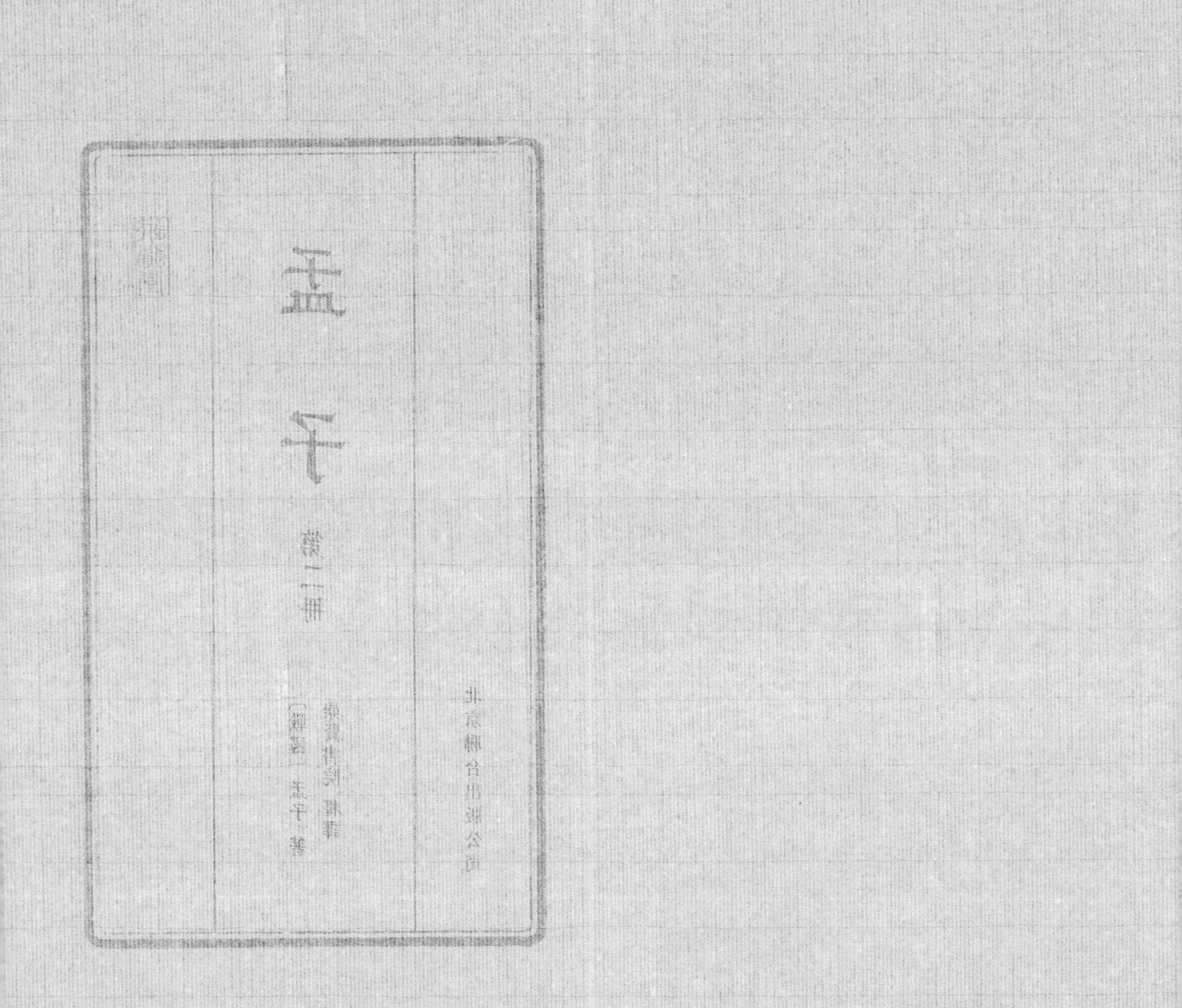

承上冊

原文 「出疆必載質，何也？」

曰：「士之仕也，猶農夫之耕也；農夫豈爲出疆舍其耒耜哉？」

曰：「晉國亦仕國也，未嘗聞仕如此其急。仕如此其急也，君子之難仕，何也？」曰：「丈夫生而願爲之有室，女子生而願爲之有家。父母之心，人皆有之。不待父母之命、媒妁之言，鑽穴隙相窺，逾牆相從，則父母國人皆賤之。古之人未嘗不欲仕也，又惡不由其道。不由其道而往者，與鑽穴隙之類也。」

譯文 周霄又問：「離開國境一定要攜帶謁見別國君主的見面禮，這是爲什麼呢？」

孟子回答道：「士人要做官，就跟農夫要種田一樣，農夫怎麼會因爲

背井離鄉而拋下他的農具不要呢？」

周霄又說：「我們魏國也是一個可以做官的國家，我從未聽說過想做官竟到如此迫切的地步。想做官到了如此迫切的地步，君子卻又偏偏這樣難於做官，這又是爲什麼呢？」孟子說：「男孩子一生下來（做父母的）便願意替他找個好妻室；女孩子一生下來（做父母的）便願意替她找個稱心如意的丈夫。當父母的這種心情，人人都會有吧！可要是（做女兒的）不經過父母的許可、媒人的介紹，便扒牆打洞互相偷看，甚至爬過去進行幽會，那麼父母和社會上的人士便都要瞧不起他們。古代的人不是不想做官，但又討厭那種求官不擇手段的行徑。不經過正當門路而去做官的勾當，就跟男女扒牆打洞偷情幽會的醜行一樣爲人所不齒。」

原文 彭更問曰：「後車數十乘，從者數百人，以傳食於諸侯，不以泰乎？」

孟子曰：「非其道，則一簞食不可受於人；如其道，則舜受堯之天下，不以爲泰，子以爲泰乎？」

曰：「否。士無事而食，不可也。」

曰：「子不通功易事，以羨補不足，則農有餘粟，女有餘布；子如通之，則梓匠、輪輿皆得食於子。於此有人焉，入則孝，出則悌，守先王之道，以待後之學者，而不得食於子。子何尊梓匠、輪輿，而輕爲仁義者哉？」

譯文

彭更問道：「跟隨的車輛幾十部，帶領的學生幾百人，在諸侯的客館裏來回地受到款待，這有點太過分了吧？」

孟子：「要是不合理，就算是一筐子飯也不可以接受別人的；要是合理的話，就是舜接受堯讓給他的天下，也稱不上過分，你認爲過分嗎？」

彭更說：「我不是這個意思。（我認爲）士人不幹具體工作，卻接受人家的奉養，那是不可以的。」

孟子說：「你如果不互通各人的成果，互換勞動產品，使各人拿自己多餘的產品去補助別人的不足，那麼，農民就會有剩餘的糧食，婦女就會有剩餘的布匹，（別人卻缺衣少食）你要是實行互通有無，那麼，木匠、車工就都能從你那裏得到供養。現在這裏有個人，回到家裏就孝順父母，出到外面就尊敬長輩，謹守古代聖王的法規，用這個來扶持、培養後來的學者，卻得不到你的供養，你爲什麼這樣尊敬木匠、車工，卻瞧不起行仁義的人呢？」

原文

曰：「梓匠、輪輿，其志將以求食也；君子之爲道也，其志亦將以求食與？」

曰：「子何以其志爲哉！其有功於子，可食而食之矣。且子食志乎？食功乎？」

曰：「食志。」

墁墻壁之飾也毀瓦畫墁言無功而有害也既曰食功則以士爲無事而食者真尊梓匠輪輿而輕爲仁義者矣

曰：「有人於此，毁瓦畫墁，其志將以求食也，則子食之乎？」

曰：「否。」

曰：「然則子非食志也，食功也。」

譯文

彭更說：「木匠、車工（從事勞動），他們的目的在於解決吃飯問題，君子們學習、施行聖人之道，難道也是爲了解決吃飯問題嗎？」

孟子說：「你爲什麼專拿他們的目的來說呢！他對你有功績，你認爲可給以給養才給他給養。況且你是根據他的目的給他給養呢，還是根據他的功績才給他給養呢？」

彭更說：「根據他的目的。」

孟子說：「現在有個人在這裏，打碎屋上的瓦，劃破粉刷得好好的牆壁，他這樣做的目的在於要飯吃，那麼你給不給他飯吃呢？」

彭更說：「不能給。」

孟子說：「那麼，你給人給養不是根據目的，而是根據功績貢獻啊。」

原文

萬章問曰：「宋，小國也，今將行王政，齊楚惡而伐之，則如之何？」

孟子曰：「湯居亳，與葛爲鄰，葛伯放而不祀。湯使人問之曰：『何爲不祀？』曰：『無以供犧牲也。』湯使遺之牛羊。葛伯食之，又不以祀。湯又使人問之曰：『何爲不祀？』曰：『無以供粢盛也。』湯使亳眾往爲之耕，老弱饋食。葛伯率其民，要其有酒食黍稻者奪之，不授者殺之。有童子以黍肉餉，殺而奪之。《書》曰：『葛伯仇餉。』此之謂也。爲其殺是童子而征之，四海之內皆曰：『非富天下也，爲匹夫匹婦復仇也。』『湯始征，自葛載』，十一征而無敵於天下。東面而征西夷怨，南面而征北狄怨，曰：『奚

爲後我？』民之望之，若大旱之望雨也。歸市者弗止，芸者不變。誅其君，弔其民，如時雨降，民大悅。《書》曰：『徯我後，後來其無罰！』

譯文

萬章問道：「宋國是個小國家，現在準備要實行王政，齊楚兩國卻妒恨它這種善行，出兵攻打它，那該怎麼辦呢？」

孟子說：「（當年）商湯居住在亳城，和葛國相鄰，葛伯十分放肆，又不祭祀祖先神靈。湯派人去責問他：『爲什麼不祭祀呢？』（葛伯）回答說：『沒有力量備辦供祭祀用的牛羊。』湯便派人贈送牛羊給他，葛伯吃掉它們，並不拿去供祭祀。湯又打發人去責問他：『爲什麼不祭祀呢？』回答說：『沒有力量備辦供祭祀用的糧米。』湯便派遣亳地的群衆去替他耕種，老弱一些的人便去（給耕田的人）送飯。葛伯卻帶領他的老百姓（中途）攔住那攜着酒食飯菜的送飯人進行搶奪，不給的便殺掉。有個孩子攜着飯和肉送到田間去，（他們）搶走肉飯，而且被殺害了。《尚書》中說：『葛伯跟送田飯的人爲仇。』說的就是這回事。祇是因爲他殺死這個孩子，湯才出兵討伐他，普天下的人都說：『（湯的出兵），不是想奪取天下的財富，而是爲平民老百姓報仇。』《尚書》上還說：『湯討伐有罪的人，是從葛伯開始的。』一共進行了十一次征伐，普天之下沒有遇到敵手。向東面出師討伐時，西面的部族便要埋怨，向南面出師討伐時，北面的部族便要埋怨，（他們）說：『爲什麼要把我們放在後面（而不先來攻打）呢？』老百姓盼望湯的討伐之師，就像天氣大旱的日子裏盼望着下雨一樣。（即使在戰爭的日子裏）做買賣的人沒有閉市，除草的人沒有停下他們除草的工作。懲罰那些暴虐的君主，安撫那些無辜的老百姓，就像天降下一場及時的大雨，老百姓皆大歡喜。《書》中說：『（我們）恭候着我們君王的到來，君王來了我們就不再受罪了。』」

原文

『有攸不惟臣，東征，綏厥士女；篚厥玄黃，

宋實不能行王政後果爲齊所滅王偃走死尹氏曰爲國者能自治而得民心則天下皆將歸往之不恨其征伐之不早也尚何強國之足畏哉苟不自治而以強弱之勢言之是可畏而已矣

紹我周王見休，惟臣附於大邑周。』其君子實玄黃於匪，以迎其君子；其小人簞食壺漿，以迎其小人。救民於水火之中，取其殘而已矣。《太誓》曰：『我武惟揚，侵于之疆，則取于殘，殺伐用張，於湯有光。』不行王政云爾；苟行王政，四海之內，皆舉首而望之，欲以爲君。齊楚雖大，何畏焉？」

譯文

「《周書》中有過這樣的記載：『（商朝）有些人不想臣服於周，所以武王才出師東征，去安撫那裏的男女民衆；（當周師東征的時候）商朝的官吏都願把黑色和黃色的絹綢裝在竹籃裏作爲禮物，拿這個自我介紹進見周王，爭取周王的好感，使自己能臣服於大周國。』那些官吏們把黑色和黃色的絹綢裝在竹籃裏。帶去迎接（周國的）官吏；那些老百姓提着飯籃和茶水去接（周國的）士兵們。（可見武王出師攻打商紂）爲的不過是從水火中解救出（商朝的）老百姓，把殘害他們的暴君除掉罷了。《太誓》裏就說過：『發揚我們的威武，攻進邪國的疆土，除掉邪國害民的暴君，以此張大殺伐之功，那就比商湯還要更有榮光。』祇怕（宋君）不肯實行王政；如果眞的能實行王政，普天之下的人都抬起頭來企望着他，想擁戴他爲天下人的君主。齊國和楚國就算強大，又有什麼可怕呢？」

原文

孟子謂戴不勝曰：「子欲子之王之善與？我明告子。有楚大夫於此，欲其子之齊語也，則使齊人傅諸？使楚人傅諸？」

曰：「使齊人傅之。」

曰：「一齊人傅之，衆楚人咻之，雖日撻而求其齊也，不可得矣；引而置之莊、嶽之間數年，雖日撻而求其楚，亦不可得矣。子謂薛居州，善士也，使之居於王所。在於王所者，長幼卑尊皆薛居州也，王誰與

爲不善？在王所者，長幼卑尊皆非薛居州也，王誰與爲善？一薛居州，獨如宋王何？」

譯文　孟子對戴不勝說：「你想你的君王朝好的方向走嗎？我明白地告訴你。如果有個楚國的大夫在這裏，想使他的兒子學會講齊國話，那麽是讓齊國人教他呢，還是讓楚國人教他呢？」

戴不勝答道：「派齊國人教他。」

孟子說：「一個齊國人教他，許多個楚國人（在旁邊）吵吵嚷嚷幹擾他，那儘管天天鞭打他，要他學會講齊國話，也是辦不到的；要是把他領去放在齊國的莊、嶽這樣的鬧市住上幾年，那麽你就是天天鞭打他，要他恢復講楚國話，也是辦不到的。你說薛居州是個好人，推薦他住在宋王宮中。如果住在王宮中的人，無論年長、年幼、地位低、地位高的都是像薛居州一樣的好人，那宋王又跟誰去幹壞事呢？如果住在王宮中的人，年長、年幼、地位低、地位高的都不是像薛居州一樣的好人，那宋王又跟誰去做好事呢？僅僅一個薛居州，怎麽對付宋王呢？」

原文　**公孫丑問曰：「不見諸侯何義？」**

孟子曰：「古者不爲臣不見。段干木踰垣而辟之，泄柳閉門而不內，是皆已甚；迫，斯可以見矣。陽貨欲見孔子，而惡無禮，大夫有賜於士，不得受於其家，則往拜其門。陽貨瞰孔子之亡也，而饋孔子蒸豚；孔子亦瞰其亡也，而往拜之。當是時，陽貨先，豈得不見？曾子曰：『脅肩諂笑，病於夏畦。』子路曰：『未同而言，觀其色赧赧然，非由之所知也。』由是觀之，則君子之所養，可知已矣。」

譯文　公孫丑問道：「您不願謁見諸侯是什麽意思呢？」

孟子說：「古代的慣例，沒有當諸侯的臣子，便不去謁見他。段干木跳牆躲避魏文侯，泄柳關起門來不接受魯繆公的訪問，這都已做得太

盈之亦宋大夫也什一井田之法也關市之征商賈之稅也已止也

過分了；要是對方逼着要見你，那還是可以見的。陽貨想使孔子來見自己，但又怕失禮，（按當時的規定）大夫如果賞賜東西給士，士要是正好不在家時，不能在家裏接受大夫的賞賜，就應該到大夫家登門拜謝。陽貨打聽到孔子不在家時，便賜給孔子一個蒸豬腿；孔子也窺伺到陽貨不在家時，徑到他家去拜謝。當這時，陽貨先去賜東西給孔子，（孔子）怎麼好不去回拜他呢？曾子說過：『聳起兩個肩頭，（向人家）裝出一副討好的笑臉，那眞比盛夏的日子裏到菜地去澆菜還要苦呢。』子路也說過：『明明跟這個人志趣不相投，卻要勉強去和人家說話，看看他那羞慚得滿臉漲紅的樣子，我眞不知道爲什麼而來。』從上面這些事例看來，一個君子應該如何來培養自己的品德和操守就可以一目了然了。」

原文 **戴盈之曰：「什一，去關市之征，今茲未能；請輕之，以待來年，然後已，何如？」**

孟子曰：「今有人日攘其鄰之雞者，或告之曰：『是非君子之道。』曰：『請損之，月攘一雞，以待來年，然後已。』如知其非義，斯速已矣，何待來年？」

譯文 戴盈之說：「恢復古代十分取一的稅法，廢除關卡和市上對商品的征稅制度，今年還不能做到，現在請先減輕一些稅收，以便等到明年，再全都廢除，怎麼樣？」

孟子說：「（譬如）現在有個每天偷鄰居一隻雞的人，有人告誡他說：『這個不是君子應有的行爲。』他回答道：『請先減少一點，一個月偷一隻雞，等到明年，再洗手不幹。』假如知道那件事做得不對，就該立卽罷手，爲什麼要等到明年呢？」

原文 **公都子曰：「外人皆稱夫子好辯，敢問何也？」**

孟子曰：「予豈好辯哉？予不得已也。天下之生久矣，一治一亂。當堯之時，水逆行，氾濫於中國，蛇龍

居之，民無所定，下者爲巢，上者爲營窟。《書》曰：『洚水警余。』洚水者，洪水也。使禹治之，禹掘地而注之海，驅蛇龍而放之菹。水由地中行，江、淮、河、漢是也。險阻既遠，鳥獸之害人者消，然後人得平土而居之。

「堯舜既沒，聖人之道衰，暴君代作，壞宮室以爲汙池，民無所安息；棄田以爲園囿，使民不得衣食。邪說暴行又作，園囿、汙池、沛澤多而禽獸至。及紂之身，天下又大亂。周公相武王，誅紂伐奄，三年討其君，驅飛廉於海隅而戮之，滅國者五十，驅虎、豹、犀、象而遠之，天下大悅。《書》曰：『丕顯哉，文王謨！丕承哉，武王烈！佑啓我後人，咸以正無缺。』

譯文

公都子說：「外面的人都說老師您喜歡辯論，請問這是什麼

書香傳家

君臣惕益

堯命禹治水，禹采用疏導的方法，將洪水制服。於是天下安定，民眾欣喜。堯因此封禹爲司空，賜姓姒氏。後堯退位，由舜接替。

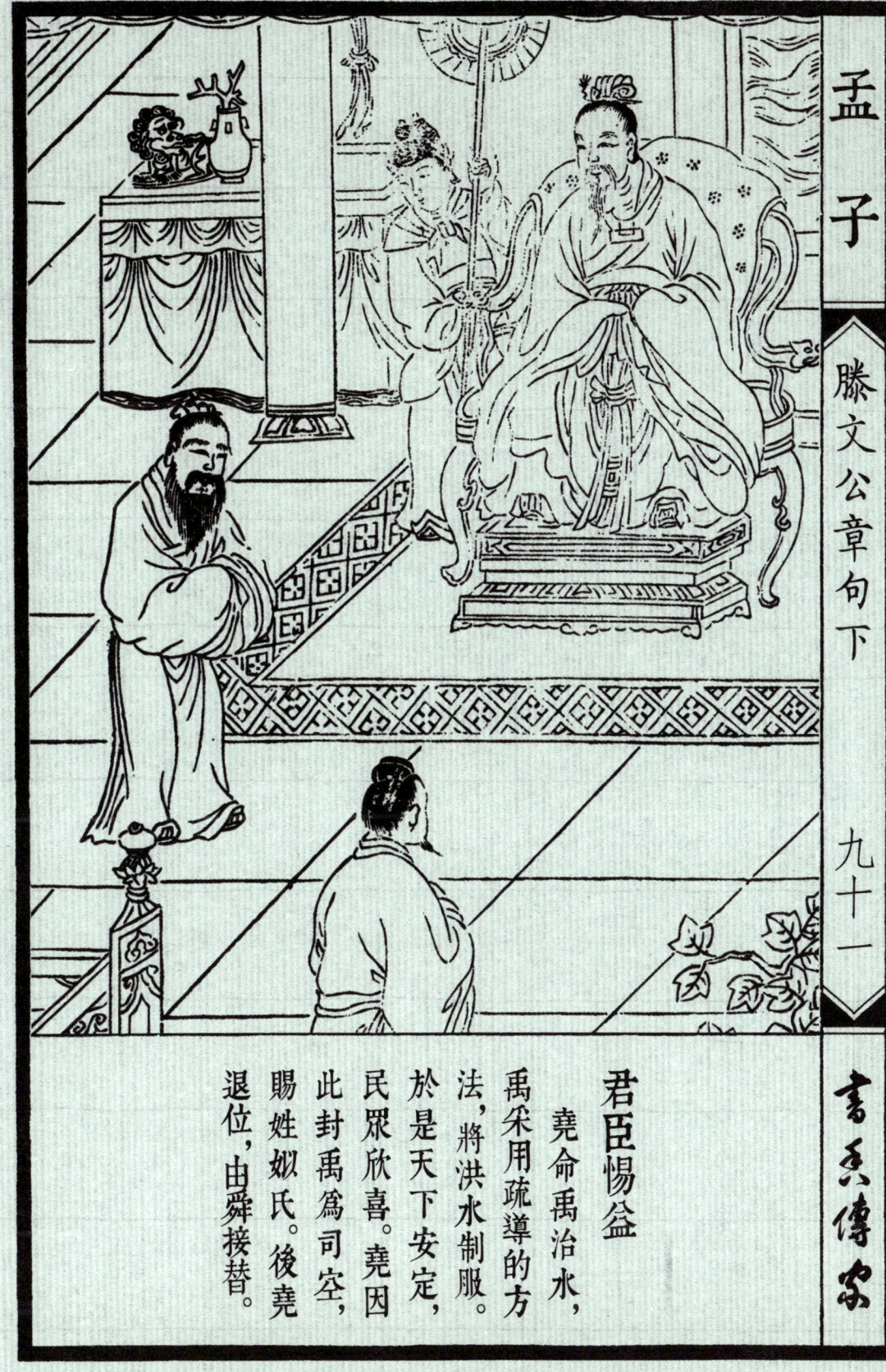

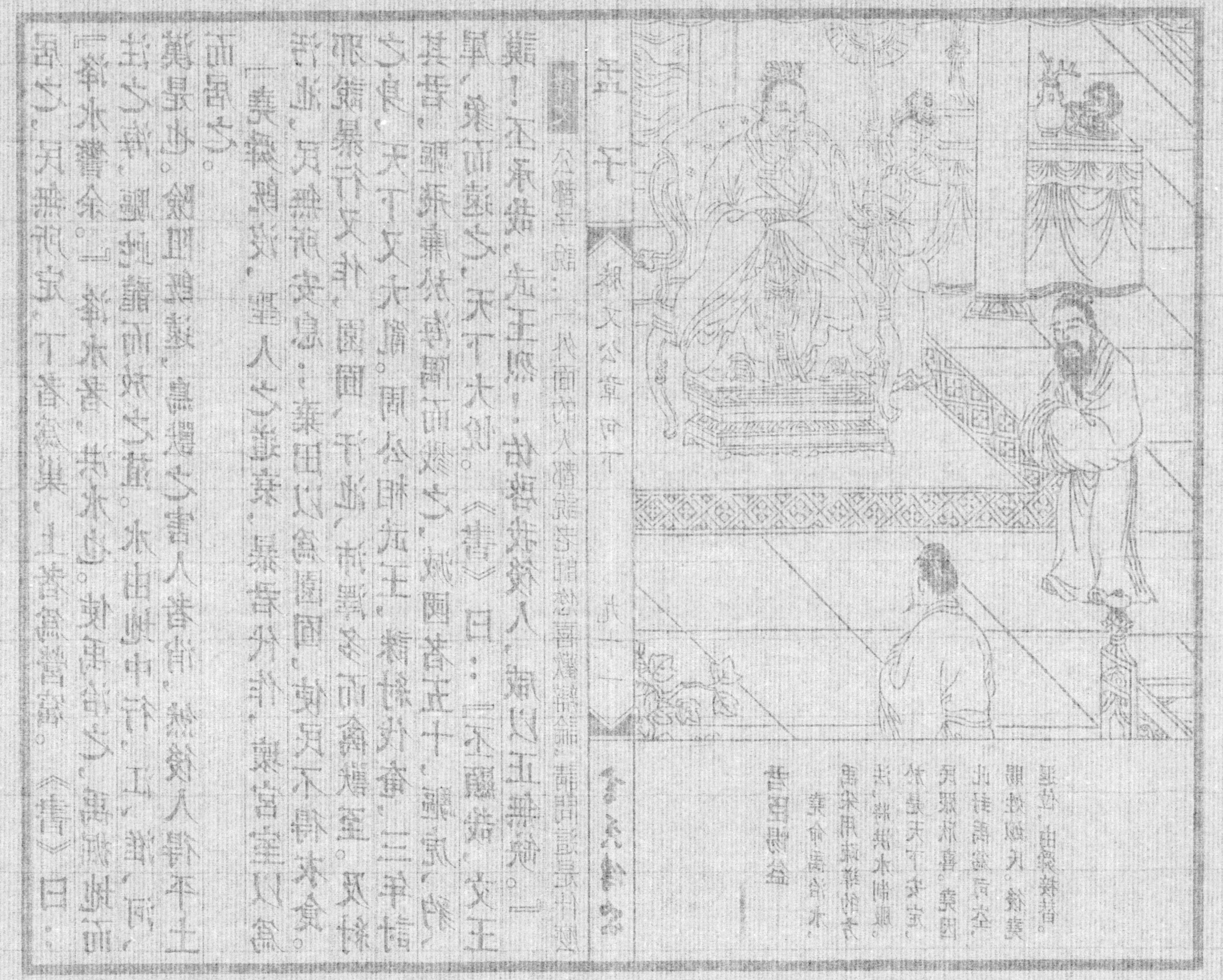

愚謂孔子作《春秋》以討亂賊則致治之法垂於萬世是亦一治也聖王不作諸侯放恣處士橫議楊朱墨翟之言盈天下天下之言不歸楊則歸墨楊氏爲我是無君也墨氏兼愛是無父也無父無君是禽獸也

原因呢？」

孟子說：「我難道是喜歡辯論嗎？我（實在是）不得已呢。人類社會產生已經很久了，治世和亂世總是輪換着出現。當堯的時候，洪水橫流，在全國泛濫，到處被龍蛇盤踞，老百姓沒有地方定居，低窪地方的人衹好在樹上搭窩，高地的人便鑿成一個連一個的窰洞。《尚書》中說：『洚水警誡了我們。』洚水就是洪水。（當時堯）派禹治水。禹挖通河道把洪水導入海中，又把（那些爲害人們的）龍蛇驅逐到草澤中去；（於是）水便被納入河道中，這就是長江、淮水、黃河和漢水。洪水給人們帶來的危險和不方便已經沒有了，爲害人們的鳥獸之災也消除了，然後人們才得以回到平地上來安居。

「堯舜去世後，聖人（治國愛民）之道就逐漸衰微了，暴虐的君主代代都產生過，（他們）拆毁民房來挖成深池，弄得老百姓無處安居；破壞農田來做園林，被壞了老百姓的衣食。（於是）荒謬的學說和殘

暴的行爲又出現了，園林、池沼、草澤一多了，禽獸也就隨之而來了。到了商紂的時候，天下又發生了大亂。（於是）周公輔佐武王，出兵攻打紂王，並討伐（助紂爲虐的）奄國，三年之內，誅殺了紂王，把紂王手下的壞臣子飛廉趕到海邊上殺死了。被消滅的國家多達五十個，趕着老虎、豹子、犀牛、大象遠逃別處，天下的老百姓（對此）十分高興。《尚書》裏說：『多高明啊，文王的謀略！多無愧於先人啊，武王的功績！幫助啓發了我們後一輩，都能夠因此正確地遵行王道，沒有虧損的地方。』」

原文

「世衰道微，邪說暴行有作，臣弒其君者有之，子弒其父者有之。孔子懼，作《春秋》。《春秋》，天子之事也。是故孔子曰：『知我者其惟《春秋》乎！罪我者其惟《春秋》乎！』

「聖王不作，諸侯放恣，處士橫議，楊朱、墨翟之言

盈天下。天下之言不歸楊，則歸墨。楊氏爲我，是無君也；墨氏兼愛，是無父也。無父無君，是禽獸也。公明儀曰：『庖有肥肉，廄有肥馬，民有飢色，野有餓莩。此率獸而食人也。』楊墨之道不息，孔子之道不著，是邪說誣民，充塞仁義也。仁義充塞，則率獸食人，人將相食。吾爲此懼，閑先聖之道，距楊墨，放淫辭，邪說者不得作。作於其心，害於其事；作於其事，害於其政。聖人復起，不易吾言矣。

「昔者禹抑洪水而天下平，周公兼夷狄、驅猛獸而百姓寧，孔子成《春秋》而亂臣賊子懼。《詩》云：『戎狄是膺，荊舒是懲，則莫我敢承。』無父無君，是周公所膺也。我亦欲正人心，息邪說，距詖行，放淫辭，以承三聖者，豈好辯哉？予不得已也！能言距楊、墨者，聖人之徒也。」

譯文

「『（不久）世風日漸衰微，王道衰微，荒謬的學說和殘暴的行爲又出現了，有臣子殺害君主的事，也有兒子殺害父親的事。孔子（對此）深感憂懼，便寫了《春秋》這部書。《春秋》（對天子、諸侯、大夫「褒善貶惡」）是天子權限內的事。所以孔子說：『了解我的，怕衹在《春秋》這部書吧！責怪我的，恐怕也是《春秋》這部書吧！』

「聖明的帝王沒有產生，諸侯們的橫行無忌，爲所欲爲，一些在下面的學者們亂發議論，不顧影響，楊朱、墨翟的學說盛極一時，幾乎到了滿天飛的地步。一般人的論調不屬楊派，就屬墨派。楊派一切爲了自己，這是目無君主；墨派主張不分親疏，一視同仁，這是目無父母。目無君主和父母，這是禽獸的行爲。公明儀說：『廚房裏擺着肥肉，馬欄裏喂着肥馬，（可是）老百姓卻餓得面黃肌瘦，野外到處擺着餓死者的尸體，這無異於是帶領着野獸去吃人。』楊派、墨派的學說不停止流

行，孔子的學說便得不到發揚光大，這簡直是任從邪說坑害老百姓，阻塞仁義的道路。仁義的道路一被阻塞，這就等於是帶領野獸去吃人，一定會出現人吃人的慘狀。我對這個深感憂懼，（所以，挺身而出）學習和捍衛先代聖人的學說，抨擊楊派和墨派，駁斥那些烏七八糟的言論，使荒謬學說的制造者再找不到市場。（這種荒謬的學說）從心裏產生出來，便要給工作帶來危害；工作受了危害，也就危害了整個政治。（我想）後世再有聖人出現，也不會改變我這些話的。

「從前，大禹治好了洪水，天下就太平了，周公征服了夷狄，趕走了猛獸，老百姓便安寧了，孔子著成了《春秋》，（褒善貶惡）那些胡作非爲的亂臣賊子便感到十分害怕。《詩經》裏說：『（我）一攻打戎狄，懲罰荆舒，就沒有人敢抵擋我了。』那些目無君主父母的人，便正是周公所要懲罰的對象。我也要端正人心，根絕謬論，反對陰險的行徑，駁斥無恥的謊言，來繼承大禹、周公、孔子三位大聖人的業績，我難道是喜歡辯論嗎？實在是爲情所逼啊！衹要是能夠著書立言以反對楊、墨學派的人，便不愧是聖人的門徒了。」

原文 匡章曰：「陳仲子，豈不誠廉士哉！居於陵，三日不食，耳無聞，目無見也。井上有李，螬食實者過半矣，匍匐往將食之；三咽，然後耳有聞，目有見。」

孟子曰：「於齊國之士，吾必以仲子爲巨擘焉。雖然，仲子惡能廉？充仲子之操，則蚓而後可者也。夫蚓，上食槁壤，下飲黃泉。仲子所居之室，伯夷之所築與？抑亦盜跖之所築與？所食之粟，伯夷之所樹與？抑亦盜跖之所樹與？是未可知也。」

譯文 匡章說：「陳仲子難道不是個廉潔的人嗎？（他）住在於陵，三天沒有吃什麼，（已經餓得）耳朵聽不到聲音，眼睛看不見東西了。

范氏曰天之所生地之所養惟人爲大人之所以爲大者以其有人倫也仲子避兄離母無親戚君臣上下是無人倫也豈有無人倫而可以爲廉哉

井臺上有個（從樹上掉下的）李子，金龜子咬食了它的大半果肉，（他無力地）爬上前去，撿起這個李子來就吃，（也顧不上細細咀嚼）吞咽了三口，這才恢復了耳朵的聽覺和眼睛的視覺。」

孟子說：「在齊國的人士中，毫無疑問我將推仲子爲首屈一指的人物。儘管如此，但仲子又怎麼稱得上廉潔呢？如果要徹底實現仲子的操守，那就衹有變成蚯蚓然後才可以，蚯蚓這種蟲，在地面上吃乾巴巴的塵土，在地層深處飲清潔的黃泉。仲子所住的房子，是伯夷建造的呢，還是盜跖建造的呢？所吃的糧食，是伯夷種的呢，還是盜跖種的呢？這些都是不能知道的。」

原文

曰：「是何傷哉？彼身織屨，妻辟纑，以易之也。」

曰：「仲子，齊之世家也；兄戴，蓋祿萬鍾。以兄之祿爲不義之祿而不食也，以兄之室爲不義之室而不居也，辟兄離母，處於陵。他日歸，則有饋其兄生鵝者，己頻顣曰：『惡用是鶂鶂者爲哉？』他日，其母殺是鵝也，與之食之。其兄自外至，曰：『是鶂鶂之肉也。』出而哇之。以母則不食，以妻則食之；以兄之室則弗居，以於陵則居之。是尚爲能充其類也乎？若仲子者，蚓而後充其操者也。」

譯文

匡章說：「這打什麼緊呢？他親自編織草鞋，老婆績麻搓綫，拿去換吃的、住的。」

孟子說：「仲子，出身齊國的世族家庭；他的哥哥陳戴，封地蓋邑每年能收到祿米幾萬石；（仲子）認爲他哥哥的俸祿是不義的財物，便不食用，認爲哥哥的房子是不義的產業，便不居住，避開哥哥，遠離母親，（一個人）住在於陵。後來有一天回家看望母親，正好碰上有個送一隻活鵝給他哥哥的人。（仲子）獨自皺着眉頭說：『要這衹呃呃叫的怪東西派什麼用場呢？』過了些日子，他的母親殺了這隻鵝，拿給

他吃。（當他正吃的時候）他哥哥從外面跑了進來，說：『這便是那個呃呃叫的怪東西的肉。』（仲子一聽）便跑到外面去，『哇』的一聲全都吐出來了。因爲是母親的東西便不吃，因爲是妻子的東西便吃了；因爲是哥哥的房子便不住，因爲是於陵的地方便住下，這樣還能算是廉潔到頂了嗎？像仲子這樣的人，恐怕衹有把自己變成蚯蚓然後才能把廉潔之風推向頂點吧。」

告子章句上

性者人生所之天理也杞柳櫃柳桮棬屈木所爲若卮匜之屬告子言人性本無仁義必待矯揉而後成如荀子性惡之說也

原文 告子曰：「性猶杞柳也，義猶桮棬也；以人性爲仁義，猶以杞柳爲桮棬。」

孟子曰：「子能順杞柳之性而以爲桮棬乎？將戕賊杞柳而後以爲桮棬也？如將戕賊杞柳而以爲桮棬，則亦將戕賊人以爲仁義與？率天下之人而禍仁義者，必子之言夫！」

譯文 告子說：「人性好比是杞柳樹，仁義好比是木做的杯盤；使人性具備仁義，就像是把杞柳樹做成杯盤（靠的是人爲的力量）。」

孟子說：「你能順着杞柳樹的本性去做成杯盤嗎？還得要殘害杞柳樹的本性然後才能做成杯盤呢？假如說要殘害杞柳樹的本性才能做成杯盤，那麼（你）也要殘害人的本性才能使它具備仁義麼？帶領天下的人共同來禍害仁義的，一定是你這種論調啊！」

原文

告子曰：「性猶湍水也，決諸東方則東流，決諸西方則西流。人性之無分於善、不善也，猶水之無分於東西也。」

孟子曰：「水信無分於東西，無分於上下乎？人性之善也，猶水之就下也。人無有不善，水無有不下。今夫水，搏而躍之，可使過顙；激而行之，可使在山。是豈水之性哉？其勢則然也。人之可使爲不善，其性亦猶是也。」

譯文

告子說：「人性就像急流的水一樣，在東方衝開了缺口便向東方流去，在西方衝開了缺口便向西方流去。人性的沒有善和不善，就好像水流本不分東西流向相同。」

孟子說：「水的確本不分東西流向，但是水也不分上下一定的流向麼？人性的向善，便和水愛向低處流一樣。人（的本性）是沒有不善良的，水（的本性）是沒有不向下流的。那水，你一拍打它使它跳躍起來，當然，一時也可以使它高出你的額頭；你設法阻擋它，一時也可以使它飛流上山。這難道是水的本性麼？這是形勢逼着它如此。人的本性可以使之做壞事，他的本性的變化也和（用外力）改變水的本性一樣。」

原文

告子曰：「生之謂性。」

孟子曰：「生之謂性也，猶白之謂白與？」

曰：「然。」

「白羽之白也，猶白雪之白；白雪之白，猶白玉之白與？」

曰：「然。」

「然則犬之性猶牛之性，牛之性猶人之性與？」

譯文

告子說：「天生的稟賦就叫性。」

孟子說：「天生的稟賦就叫性，就像白色的東西就叫白嗎？」

告子說：「是」。

「白羽毛的白，和白雪的白一樣，白雪的白和白玉的白一樣嗎？」

告子說：「是。」

「那麼狗的生性和牛的生性一樣，牛的生性和人的生性一樣嗎？」

原文 **告子曰：「食色，性也。仁，內也，非外也；義，外也，非內也。」**

孟子曰：「何以謂仁內義外也？」

曰：「彼長而我長之，非有長於我也；猶彼白而我白之，從其白於外也，故謂之外也。」

曰：「異於白馬之白也，無以異於白人之白也；不識長馬之長也，無以異於長人之長與？且謂長者義乎？長之者義乎？」

曰：「吾弟則愛之，秦人之弟則不愛也，是以我爲悅者也，故謂之內。長楚人之長，亦長吾之長，是以長爲悅者也，故謂之外也。」

曰：「耆秦人之炙，無以異於耆吾炙，夫物則亦有然者也，然則耆炙亦有外與？」

譯文 告子說：「飲食和男女兩件事，是人的本性。仁，存在於人本身之內，不是顯現在本身之外；義，存在於人本身之外，不是在本身之內。」

孟子說：「憑什麼說仁在身內義在身外呢？」

答道：「由於他年長所以我將他看作長者加以尊敬，年長在他不在於我；就好像它是白色的東西因而我認爲它白，這是由於外在物的白色所決定的，（並不是我腦子裏先存有白色的觀念）所以說它是外在的東西。」

問道：「白馬的白和白人的白雖然沒有什麼不同，但不知對老馬的尊敬跟對年長的人的尊敬是不是一樣呢？而且你所說的義，是指長者

呢，還是指尊敬長者的心呢？（如果義不在於他的年長，而在於我尊敬長者之心，那麽，義就還是在内不是在外了）」

告子（繼續辯解）：「對於我自己的弟弟就愛，對於秦人的弟弟就不愛，這就可見愛不愛在於我自己，所以我（把仁）叫作内在的東西。尊敬楚人的長者，也尊敬我的長者，這可見愛不愛決定於他人的年長，所以我（把義）叫作外在的東西。」

孟子（繼續反駁）說：「愛吃秦人的燒肉和愛吃我們自己的燒肉是沒有多少區别的，看來各種事物也都有相類似的情况，那麽喜愛吃燒肉的心思難道也是存在於身外嗎？（這樣，『食色』還能稱之爲『性』麽）」

原文

孟季子問公都子曰：「何以謂義内也？」

曰：「行吾敬，故謂之内也。」

「鄉人長於伯兄一歲，則誰敬？」

曰：「敬兄。」

「酌則誰先？」

曰：「先酌鄉人。」

「所敬在此，所長在彼，果在外，非由内也。」

公都子不能答，以告孟子。

孟子曰：「『敬叔父乎？敬弟乎？』彼將曰：『敬叔父。』曰：『弟爲尸，則誰敬？』彼將曰，『敬弟。』子曰，『惡在其敬叔父也？』彼將曰：『在位故也。』子亦曰，『在位故也。庸敬在兄，斯須之敬在鄉人。』」

季子聞之，曰：「敬叔父則敬，敬弟則敬，果在外，非由内也。」

公都子曰：「冬日則飲湯，夏日則飲水，然則飲食亦在外也？」

公范氏曰二章問答大指略同皆反復譬喻以曉當世使明仁義之在内則知人之性善而皆可以爲堯舜矣

譯文

孟季子問公都子道：「爲什麼說義是內在的東西呢？」

答道：「（對人）表達內心的崇敬，所以說義在身內。」

「如果有個鄉裏的人比你大哥大一歲，那麼你尊敬誰呢？」

答道：「尊敬大哥。」

「要是同席斟酒那你先給誰斟呢？」

答道：「先給鄉裏的人斟。」

「（這樣看來）那內心所尊敬的在這裏（指大哥），外面所表示禮敬的卻在那裏（指鄉裏人），那義畢竟是在身外，並不是從內心產生的義。」

公都子不能回答這問題，就把它告訴了孟子。

孟子說：「（你可以反問他）應該尊敬叔父呢？還是尊敬弟弟呢？他將回答說尊敬叔父。（你可以進一步）問道，『假如弟弟（在祭祖先時）充任受祭的代理人，那麼該尊敬誰呢？』他將回答說尊敬弟弟。你就可以再問，『（那你剛才說）該尊敬叔父的道理又在哪裏呢？』

他將回答因爲弟弟處在尸位的緣故。那你也同樣可以說因爲鄉裏人處在客位的緣故。對哥哥是恆常的尊敬，對鄉裏人是暫時的尊敬。」

季子聽了這些話後，說：「尊敬叔父是（在這樣的情況下）去尊敬，尊敬弟弟卻（又是在那樣的情況下）才給予他尊敬，看起來義畢竟在於身外，並不是發自內心。」

公都子聽了反問道：「（人們）冬天就喝熱茶，夏天就喝涼水，（照你的說法）那麼飲食也不是出於內在的需要而是由外在的原則所決定的嗎？」

原文

公都子曰：「告子曰：『性無善無不善也。』或曰：『性可以爲善，可以爲不善。是故文武興，則民好善；幽厲興，則民好暴。』或曰：『有性善，有性不善。是故以堯爲君而有象，以瞽瞍爲父而有舜，以紂爲兄之子，且以爲君，而有微子啓、王子比干。』

今曰：『性善』，然則彼皆非與？」

孟子曰：「乃若其情，則可以爲善矣，乃所謂善也。若夫爲不善，非才之罪也。惻隱之心，人皆有之；羞惡之心，人皆有之；恭敬之心，人皆有之；是非之心，人皆有之。惻隱之心，仁也；羞惡之心，義也；恭敬之心，禮也；是非之心，智也。仁義禮智，非由外鑠我也，我固有之也，弗思耳矣。故曰，『求則得之，舍則失之。』或相倍蓰而無算者，不能盡其才者也。《詩》曰：『天生烝民，有物有則。民之秉彝，好是懿德。』孔子曰：『爲此詩者，其知道乎！故有物必有則；民之秉彝也，故好是懿德。』」

譯文

公都子說：「告子說：『人性本沒有善和不善。』有的人又說：『人性可以使它變得善，也可以使它變得不善，所以周文王和武王

（這樣的聖王）出現了，人民就向善成風；周幽王和厲王（這樣的暴君）出現了，人民便多趨向暴戾。』還有一種這樣的說法：『人性有的善，有的不善，所以哪怕有堯這樣的聖人爲君，卻難免出現象這樣的壞蛋；雖說有瞽瞍這樣缺德的人爲父，卻還是生了大舜這樣的好兒子；以紂那樣暴虐的人作侄兒，而且作了君主，卻同時存在着微子啓、王子比干這樣以仁德著稱的叔父。』現在您老師說人性本來都善良，那麼他們說的都不正確麼？」

孟子說：「要說人本來的質性，就都可以使之趨向善良，這便是我所說的人性本善。至於有的人不幹好事，不能責怪他的質性不好。憐憫他人災難的心，人人都有；做了不光彩的事感到羞恥的心，人人都有；對人有禮貌的心，人人都有；判斷事物是和非的心，人人都有。憐憫他人災難的心便是仁；對不光彩的事感到羞恥的心便是義；對人有禮貌的心便是禮；判斷事物是非的心便是智。仁義禮智的美德，不是由

程子曰：在物爲理，處物爲義，體用之謂也。孟子言人心無不悅理義者，但聖人則先知先覺乎此耳，非有以異於人也。

外面虛飾而成的，是我本身原來就具有的，不過沒有自覺地意識到它們罷了。所以說，『祇要去探索它們，便不難獲得，一旦放棄它們，就一定會失掉。』有的人（比別人）相差一倍、五倍甚至無數倍，他們便是那種不能充分發揮天生優美的才性的人。《詩經》中說過：『老天生育百姓，有事物便有法則。百姓掌握常道，便喜愛美德。』孔子說：『作這篇詩的人，大概是懂得道理的啊！所以世間有事物必然便有法則；百姓能掌握天生常道，所以便常常喜愛這美德。』（這可作爲人性本來就善良的佐證）」

原文

孟子曰：「富歲，子弟多賴；凶歲，子弟多暴。非天之降才爾殊也，其所以陷溺其心者然也。今夫麰麥，播種而耰之，其地同，樹之時又同，浡然而生，至於日至之時，皆熟矣。雖有不同，則地有肥磽，雨露之養、人事之不齊也。故凡同類者，舉相似也，何獨至於人而疑之？聖人，與我同類者。故龍子曰：『不知足而爲屨，我知其不爲蕢也。』屨之相似，天下之足同也。口之於味，有同耆也；易牙先得我口之所耆者也。如使口之於味也，其性與人殊，若犬馬之與我不同類也，則天下何耆皆從易牙之於味也？至於味，天下期於易牙，是天下之口相似也。惟耳亦然，至於聲，天下期於師曠，是天下之耳相似也。惟目亦然，至於子都，天下莫不知其姣也。不知子都之姣者，無目者也。故曰，口之於味也，有同耆焉；耳之於聲也，有同聽焉；目之於色也，有同美焉，至於心，獨無所同然乎？心之所同然者何也？謂理也，義也。聖人先得我心之所同然耳。故理義之悅我心，猶芻豢之悅我口。」

譯文 孟子說：「豐收的年成，青年子弟懶惰的多，收成不好的年歲，青年子弟強暴的多。這並不是天生人的資質有這樣的不同，而是由於外在的因素影響了他們的心（思想）才變得這樣。譬如種大麥吧，播下種子去把地耙平，土地一樣，栽種的時候也一樣，它們便蓬蓬勃勃地生長，到了夏至前後，大約全都成熟了。就算有的例外，那也是由於土質的肥瘠、雨露的多寡和人工管理的好壞有所不同的緣故。所以凡是同類的東西，差不多都是相似的，爲什麼獨獨對於人卻要懷疑呢？聖人跟我們是同類的。因此龍子說：『即使不了解腳的大小樣子就去編草鞋，我也知道它決不會被編成盛土的草筐的。』草鞋樣式的相似，說明天下人的腳是一樣的。人們的口對於味道，有相同的嗜好。（以烹調著名的廚師）易牙早就掌握了我們所嗜好的口味（所以他烹調的菜爲人們所喜愛）。假如人們的口味，生來就與別人不同，像狗和馬跟我們不同類一個樣，那麼天下的人爲什麼都喜歡追求易牙烹調的口味呢？談到口味，天下的人都巴望着嘗到易牙烹調的口味，這說明天下的人的口味是相似的。就是耳朵也是這樣。談到聲樂，天下的人都巴望能聽到名樂師曠演奏的樂曲，這說明天下人的耳朵都是相似的。就是眼睛也是這樣。談到美男子子都，天下的人沒有不知道他的漂亮的。不能鑒別子都漂亮的，那簡直是沒長眼睛的人。所以說，口對於味道，有相同的嗜好；耳朵對於聲音，有相同的聽覺；眼睛對於美色，有相同的審美情趣。談到心，難道沒有一致肯定的東西麼？人心所一致肯定的東西是什麼呢？是理，是義。聖人不過是早就掌握了我們心裏所肯定的東西罷了。所以理和義之使我的心喜愛，就和牛羊狗馬的肉令我喜愛是一樣的。」

原文 孟子曰：「牛山之木嘗美矣，以其郊於大國也，斧斤伐之，可以爲美乎？是其日夜之所息，雨露之所潤，非無萌蘖之生焉，牛羊又從而牧之，是以若

彼濯濯也。人見其濯濯也，以爲未嘗有材焉，此豈山之性也哉？雖存乎人者，豈無仁義之心哉？其所以放其良心者，亦猶斧斤之於木也，旦旦而伐之，可以爲美乎？其日夜之所息，平旦之氣，其好惡與人相近也者幾希，則其旦晝之所爲，有梏亡之矣。梏之反覆，則其夜氣不足以存；夜氣不足以存，則其違禽獸不遠矣。人見其禽獸也，而以爲未嘗有才焉者，是豈人之情也哉？故苟得其養，無物不長；苟失其養，無物不消。孔子曰：『操則存，舍則亡；出入無時，莫知其鄉。』惟心之謂與？」

譯文

孟子說：「牛山上的樹木曾經長得非常茂盛，由於它生長在大都市的郊野，人們經常用斧子去砍伐它，它還可以保持它的茂盛嗎？這就是說，雖然它日日夜夜在生長，雨露也在不斷地滋潤着它，也

並不是說沒有新芽和旁枝長出來，但牛羊在山上牧放時糟踏它，因此牛山便成爲那樣光禿禿的了。人們看見它光禿禿的了，便誤以爲它從來沒有生長過樹木，這難道是山的本來面目（本性）麼？即使是在有的人的身上，（也和山上有樹木一樣）難道沒有過仁義之心嗎？之所以有的人會喪失他那種原有的善心，那也是像斧子對於牛山上的樹木一樣，天天去砍伐它，它還可以保持原來的茂盛嗎？儘管他日日夜夜潛滋暗長的善心，凌晨時接觸到的清明之氣，促成了他有了少許與別人相接近的好惡，可他第二天的所作所爲，又來攪亂他，使他丟失了剛剛產生的那一點兒與別人相接近的好惡。這樣三番四次地不斷擾亂，那麼凌晨了所接觸的那種清明之氣也不足以保存他那點兒剛剛恢復的善心，清明之氣既然不足以保存他那點兒善心，那他就離禽獸不遠了。人們看見他淪爲禽獸，便以爲他從不曾有過好的資質，難道人的本性是這樣麼？所以要是真的得到正當的培養，沒有什麼東西（善性）

不會生長的；相反，要是真的失去了正當培養，沒有什麼東西（善性）不會消失了。孔子說：『把握它就存在，放棄它就消亡；出和入沒有定時，也不知它居住在什麼地方。』這就是指心而言的吧！」

原文

孟子曰：「無或乎王之不智也。雖有天下易生之物也，一日暴之，十日寒之，未有能生者也。吾見亦罕矣，吾退而寒之者至矣，吾如有萌焉何哉？今夫弈之爲數，小數也；不專心致志，則不得也。弈秋，通國之善弈者也。使弈秋誨二人弈，其一人專心致志，惟弈秋之爲聽。一人雖聽之，一心以爲有鴻鵠將至，思援弓繳而射之，雖與之俱學，弗若之矣。爲是其智弗若與？曰：非然也。」

譯文

孟子說：「別對大王的不聰明感到奇怪吧。（培養人正如培養植物）哪怕是天下最容易生長的植物，你讓它曬一天太陽，又擱在陰涼的地方冷它十天，那就沒有能夠活下去的了。我見到王的次數很少，我一退出，那些潑冷水（陷王於不義）的人接着便到了，我又能拿他那剛剛萌發出來的一點點善心怎麼樣呢？下棋這種技藝，本來是一種小技藝，如果不聚精會神地學，便學不到手。弈秋，是全國的下棋能手。如果讓弈秋教兩個人下棋，其中一個聚精會神，就祇聽弈秋的話。另一個表面上雖然好像也在聽，實際上他心裏一直以爲天鵝快要飛來了，想拿起弓箭去射它，這樣，這個人儘管和前面那個人一塊兒學，成績便趕不上人家了。你說這是他的智慧不如人家嗎？我說，不是這樣。」

原文

孟子曰：「魚，我所欲也；熊掌，亦我所欲也。二者不可得兼，舍魚而取熊掌者也。生，亦我所欲也；義，亦我所欲也。二者不可得兼，舍生而取義者也。生亦我所欲，所欲有甚於生者，故不爲苟得也；死亦我所惡，所惡有甚於死者，故患有所不辟也。

本心謂羞惡之心此章言羞惡之心人所固有或能決死生於危迫之際而不免計豐約於安安之時是以君子不可頃刻而不省察於斯焉

如使人之所欲莫甚於生，則凡可以得生者，何不用也？使人之所惡莫甚於死者，則凡可以辟患者，何不爲也？由是則生而有不用也，由是則可以辟患而有不爲也。是故所欲有甚於生者，所惡有甚於死者，非獨賢者有是心也，人皆有之，賢者能勿喪耳。一簞食，一豆羹，得之則生，弗得則死，嘑爾而與之，行道之人弗受；蹴爾而與之，乞人不屑也。萬鍾則不辨禮義而受之，萬鍾於我何加焉？爲宮室之美、妻妾之奉、所識窮乏者得我與？鄉爲身死而不受，今爲宮室之美爲之；鄉爲身死而不受，今爲妻妾之奉爲之；鄉爲身死而不受，今爲所識窮乏者得我而爲之，是亦不可以已乎？此之謂失其本心。」

譯文

孟子說：「魚，是我想得到的東西；熊掌，也是我想得到的東西。要是兩樣東西不能同時要到，我就寧願不要魚而要熊掌。生命是我所珍愛的；義也是我所珍愛的。要是兩者不能同時得到，我就寧願犧牲生命而取得義。生命也是我所珍愛的，但所珍愛的東西有的超過了生命，所以就不能幹苟且偷生的事；死也是我所不願意的，但所厭惡的東西有的超過了死，所以對於有的災禍不能（作無原則的）逃避。假如使人們所珍愛的東西沒有超過生命的，那就凡是可以保存生命的手段，哪樣不會用上呢？如果使人們所厭惡的東西沒有超過死的，那就凡是可以逃避災禍的事情，哪種不會做呢？通過這樣的手段就可以保存生命，可是有的人卻不采用，衹要這樣做就可以逃避禍災，可是有的人卻不願意做，所以，（這樣看來）人們所喜愛的東西有超過生命的，所厭惡的東西有超過死的。不單是賢德的人有這種心，人們都有，不過賢德的人不會喪失它罷了。一小筐飯，一小碗湯，得到它就可以活，得不到它就可能要死，可是（用輕蔑的態度）叱喝着施舍給別人，

那怕是（餓着肚皮的）過路人也不會接受；用腳踢着施舍給別人，那就連叫化子也不屑要。可現在有的人竟對萬鍾的俸祿卻不問是否合乎禮義便受下它，究竟萬鍾對於我能增加些什麼呢？是爲了住宅的豪華、妻妾的侍奉和所熟識的窮朋友（因獲得周濟）而對我感恩戴德嗎？過去爲了不蒙受恥辱寧願身死也不願接受，今天卻爲着要得到妻妾的侍奉而甘心這樣做；過去爲了不蒙受恥辱寧願身死也不願接受，今天卻爲着要使所熟識的窮朋友（因獲得周濟）對自己感恩戴德而甘心這樣做，這些事難道可以罷手了麼？這就叫作迷失了他的本性。」

原文 **孟子曰：「仁，人心也；義，人路也。舍其路而弗由，放其心而不知求，哀哉！人有雞犬放，則知求之；有放心，而不知求。學問之道無他，求其放心而已矣。」**

譯文 孟子說：「仁，是人心的本質；義，是人所必由的大道。舍棄人所必由的大道而不走，喪失人的良心而不知道去找回，眞可悲呀！有些人的鷄狗走失了，便知道要去找回來，可良心喪失了，卻不知道去尋找。做學問的秘訣沒有別的，衹不過是將已喪失的良心找回來而已。」

原文 **孟子曰：「今有無名之指屈而不信，非疾痛害事也，如有能信之者，則不遠秦楚之路，爲指之不若人也。指不若人，則知惡之；心不若人，則不知惡。此之謂不知類也。」**

譯文 孟子說：「現在有個人無名指彎了不能伸直，儘管不是礙事的疾病，如果有能將它伸直的人，那就奔走秦國、楚國（去求醫）也不覺得路遠，這是因爲手指比不上別人的緣故。手指不如別人，就知道不喜歡；心地不如別人，就不知道不喜歡，這就叫作分不清輕重緩急。」

原文 **孟子曰：「拱把之桐梓，人苟欲生之，皆知所以養之者。至於身，而不知所以養之者，豈愛身不若**

此言若使專養口腹而能不失其大體專口腹之養軀命所關不但爲尺寸之膚而已但養小之人無不失其大者故口腹雖所當養而終不可以小害大以賤害貴也

桐梓哉？弗思甚也。」

【譯文】孟子說：「細小的桐樹和梓樹，人們如果眞的要使它生長得好，便都知道怎樣去培養它。至於對於他們自身，卻不知道怎樣去修養，難道愛他們自身還比不上愛桐樹和梓樹嗎？歸根結底在於太不會用心思了。」

【原文】孟子曰：「人之於身也，兼所愛。兼所愛，則兼所養也。無尺寸之膚不愛焉，則無尺寸之膚不養也。所以考其善、不善者，豈有他哉？於己取之而已矣。體有貴賤，有大小，無以小害大，無以賤害貴。養其小者爲小人，養其大者爲大人。今有場師，舍其梧、檟，養其樲棘，則爲賤場師焉。養其一指而失其肩背，而不知也，則爲狼疾人也。飲食之人，則人賤之矣，爲其養小以失大也。飲食之人無有失也，則

口腹豈適爲尺寸之膚哉？」

【譯文】孟子說：「人們對於身體，所有各部分都得愛護。所有各部分都得愛護，便所有各部分都得保養。沒有一尺一寸的肌膚不愛護，便沒有一尺一寸的肌膚不加保養。所以考察一個人對他的身體保養得好不好，難道有別的方法嗎？不過是看他自己所看重的是身體的哪一部分罷了。身體的各部分有重要和不那麼重要、小和大的區別，不要因爲小的部分妨害了大的部分，也不要因爲不重要的部分妨害了重要的部分。衹注意保養小的部分的人是小人，能注意保養大的部分的人便是君子。現在這裏有個這樣的園藝師，丢下那些貴重的梧桐和梓樹不管，卻用心去培植那些沒啥用處的酸棗和荆棘，那便是個蹩腳的園藝師。假如一個人僅僅注意保養自己的一個指頭卻讓肩背喪失功能，而他自己還不知道，便算是一個糊塗蟲。專門貪圖飲食（而不顧品德培養）的人，人們便要鄙視他，因爲他衹注意保養身體小的部分而喪失大的

部分。假如喜愛飲食的人無損於品德的培養，那滿足口腹需要的目的，難道獨獨爲了保養一尺一寸的肌膚嗎？（因爲培養品德也是需要日常飲食的）」

原文　公都子問曰：「鈞是人也，或爲大人，或爲小人，何也？」

孟子曰：「從其大體爲大人，從其小體爲小人。」

曰：「鈞是人也，或從其大體，或從其小體，何也？」

曰：「耳目之官不思，而蔽於物，物交物，則引之而已矣。心之官則思，思則得之，不思則不得也。此天之所與我者。先立乎其大者，則其小者不能奪也。此爲大人而已矣。」

譯文　公都子問道：「都是一樣的人，爲什麼有的人會成爲君子，有的人卻淪爲卑微的小人？」

孟子說：「順從身體重要器官（心志）需要的便能成爲君子，順從它不重要器官需要的便淪爲卑微小人。」

又問：「同是一樣的人，爲什麼有的人順從身體重要器官的需要，有的卻順從它不重要器官的需要呢？」

答道：「耳朵、眼睛一類器官不能思考，因而易被外物所蒙蔽，（耳朵、眼睛）這種東西和外物一接觸，就衹有被外物（如聲色狗馬等利欲）所引誘罷了。心這種器官便善於思考，一加思考就能得到人本來的善性，不思考便得不到。心是上天特意賦予我們人類的。（你）首先把心樹立了，那麼那些（耳、目、口、腹一類）次要器官便不會（由於外物的誘惑而）迷失（你）天生的善性了。成爲聖人君子的道理不過是這樣罷了。」

原文　孟子曰：「有天爵者，有人爵者。仁義忠信，樂善不倦，此天爵也；公卿大夫，此人爵也。古之

人修其天爵，而人爵從之。今之人修其天爵，以要人爵；既得人爵，而棄其天爵，則惑之甚者也，終亦必亡而已矣。」

譯文 孟子說：「有天然的爵位，有人爲的爵位。仁義忠信，好善不止，這便是天然的爵位；公卿大夫等官職，這便是人爲的爵位。古代的人加強天然爵位（也即是品德）的修養，人爲的爵位便隨之而來了。現在的人修養天然的爵位（作爲敲門磚），來追求人爲的爵位；一旦人爲的爵位到了手，便拋棄那天然的爵位，這就眞是糊塗透頂，到最後也一定要鬧到失去人爲的爵位。」

原文 **孟子曰：「欲貴者，人之同心也。人人有貴於己者，弗思耳矣。人之所貴者，非良貴也。趙孟之所貴，趙孟能賤之。《詩》云：『既醉以酒，既飽以德。』言飽乎仁義也，所以不願人之膏粱之味也；令聞廣譽施於身，所以不願人之文繡也。」**

譯文 孟子說：「想要得到尊貴的地位，是人們共同的心願。其實在每個人身上都有可尊貴的東西，衹是自己沒有去思考它而已。別人加給自己尊貴的東西，並不是最値得尊貴的。趙孟加官進爵使之尊貴的人，趙孟也能奪去他的官爵使他變得地位低賤。《詩經》中說：『既已請我喝醉酒，又用德澤潤我身。』這是說仁義已使我富足了，也就不再羨慕別人擁有肥肉白米的美味了；把名揚四海的好名聲加在我的身上，也就不再羨慕做官的人穿着繡花衣裳了。」

原文 **孟子曰：「仁之勝不仁也，猶水勝火。今之爲仁者，猶以一杯水救一車薪之火也；不熄，則謂之水不勝火，此又與於不仁之甚者也，亦終必亡而已矣。」**

譯文 孟子說：「仁能戰勝不仁，就像是水能戰勝火一樣。現在那些行仁道的人，就像是拿一小杯水去撲滅一大車木柴所燃起的熊熊大

荑稗草之似穀者其實亦可食然不能如五穀之美也但五穀不熟則反不如荑稗之熟猶爲仁而不熟則反不如爲他道之有成是以爲仁必貴乎熟而不可徒恃其種之美又不可以仁之難熟而甘爲他道之有成也

火；撲滅不了，便說是水終究戰勝不了火，這樣的論調又助長了那些極端不仁的人，最後也一定會把他本來有的那點仁喪失了。」

原文　孟子曰：「五穀者，種之美者也；苟爲不熟，不如荑稗。夫仁，亦在乎熟之而已矣。」

譯文　孟子說：「五穀，是糧食作物中的優良品種；但是如果種了不能成熟，那就反倒不如荑稗一類野生植物了。爲仁（的要求）也祇在於使它成熟罷了。」

原文　孟子曰：「羿之教人射，必志於彀；學者亦必志於彀。大匠誨人必以規矩，學者亦必以規矩。」

譯文　孟子說：「羿教人射箭，必定把拉滿弓作爲最高要求；學射箭的人也必須把拉滿弓作爲最高要求。著名的木工師傅指教人，一定得遵循規矩，學做木工的人也一定要遵循規矩。」

告子章句下

原文　任人有問屋廬子曰：「禮與食孰重？」

曰：「禮重。」

「色與禮孰重？」

曰：「禮重。」

曰：「以禮食，則飢而死；不以禮食，則得食，必以禮乎？親迎，則不得妻；不親迎，則得妻，必親迎乎？」

屋廬子不能對，明日之鄒以告孟子。

孟子曰：「於答是也何有？不揣其本而齊其末，方寸之木，可使高於岑樓。金重於羽者，豈謂一鉤金與一輿羽之謂哉？取食之重者與禮之輕者而比之，奚翅食重？取色之重者與禮之輕者而比之，奚翅色

重！往應之曰：『紾兄之臂而奪之食，則得食；不紾，則不得食，則將紾之乎？逾東家牆而摟其處子，則得妻；不摟，則不得妻，則將摟之乎？』」

譯文 有位任國人問屋廬子道：「禮和食哪樣更重要？」

答道：「禮重要。」

這個人緊接上去問道：「色和禮哪樣重要？」

答道：「禮重要。」

問道：「要是按照禮節去找食物，就得餓死；不按照禮節去找食物，就能得到食物，是不是一定要按照禮節行事呢？要是行親迎禮，就得不到妻子；不行親迎禮，就能得到妻子，是不是一定得行親迎禮呢？」

屋廬子不能回答這個問題，第二天便跑到鄒國去把這些問題告訴孟子。

孟子說：「對於回答這些問題又有什麼難處呢？如果不去度量它們的下面長短是否一致，卻一味地去比它們上面的高低，那麼即使僅是

朱熹

孔子和孟子都十分重視禮儀倫常，到後世，特別是宋明理學盛行之時，倫常教化更被提到無以復加的高度。朱熹就是這樣一位重視綱常倫理的大儒。

塊寸把厚的木板，（你把它擱在高的地方）你便可以使它比尖頂的高樓還要高。我們說金子比羽毛更重，難道是說一個小小金帶鉤的重量比一大車子羽毛還要重嗎？拿關係重大的吃的問題與無足輕重的禮的細微末節去比較，難道僅是吃的問題重要嗎？（二是輕重懸殊，簡直無法相提並論）拿有關男女結合的重要問題與無足輕重的禮的細枝末節（如前章所說不告而娶）去比較，難道僅是男女問題重要嗎？你去回答他說：『扭傷哥哥的胳膊奪去他的食物，就可以得到吃的；不扭，就得不到吃的，那你會去扭傷他的胳膊嗎？跳過東家的牆去摟抱他家的姑娘，就可以得到老婆；不摟抱，就得不到老婆，那你會去摟抱她嗎？』」

原文

曹交問曰：「人皆可以爲堯舜，有諸？」

孟子曰：「然。」

「交聞文王十尺，湯九尺，今交九尺四寸以長，食粟而已，如何則可？」

曰：「奚有於是？亦爲之而已矣。有人於此，力不能勝一匹雛，則爲無力人矣；今日舉百鈞，則爲有力人矣。然則『舉烏獲之任』，是亦爲烏獲而已矣。夫人豈以不勝爲患哉？弗爲耳。徐行後長者謂之弟，疾行先長者謂之不弟。夫徐行者，豈人所不能哉？所不爲也。堯舜之道，孝弟而已矣。子服堯之服，誦堯之言，行堯之行，是堯而已矣。子服桀之服，誦桀之言，行桀之行，是桀而已矣。」

曰：「交得見於鄒君，可以假館，願留而受業於門。」

曰：「夫道若大路然，豈難知哉？人病不求耳。子歸而求之，有餘師。」

孟子言堯舜之道較然若大路豈有難知人苦不肯求耳子歸曹而求行其道有餘師師不少也不必留館學也

譯文

曹交問道：「每個人都可以成爲堯舜，真有這個話嗎？」

孟子說：「是的。」

（曹交緊接着問）「我聽說文王身高十尺，湯身高九尺，現在我曹交身高九尺四寸多，（每天）衹是吃飯罷了，要怎樣才可以（成爲堯舜）呢？」

孟子說：「這有什麼難呢？也衹是要做下去就行了。這裏有個人，自以爲力氣敵不過一隻小鷄雛，那就是毫無力氣的人了；現在（他）說（他的）力氣能舉起三千斤重的東西，那（他）就是有力氣的人了。那麼，要是能舉得起烏獲曾舉起過的重量的，這也就是烏獲了。人所最怕的難道是在不能勝任嗎？在不去做啊。慢點兒走，走在年長的人的後面就叫作悌，走得很快，搶在年長的人的前面就叫作不悌。慢點兒走，這是人們不能做的嗎？是不去做啊。堯舜之道，也衹是孝悌罷了。你穿堯的衣服，說堯的話，做堯做的事，就是堯了。你穿桀的衣服，說桀的話，做桀做的事，就是桀了。」

曹交說：「我能謁見鄒君，可以借到一所客館，我願意留下來在您門下受教。」

孟子說：「（聖人之）道就像大路一般，難道是很難清楚的嗎？就怕人們自己不去尋求啊。你回去自己努力尋求，老師到處都有。」

原文

公孫丑問曰：「高子曰：『《小弁》，小人之詩也。』」

孟子曰：「何以言之？」

曰：「怨。」

曰：「固哉，高叟之爲詩也！有人於此，越人關弓而射之，則己談笑而道之；無他，疏之也。其兄關弓而射之，則己垂涕泣而道之；無他，戚之也。《小弁》之怨，親親也。親親，仁也。固矣夫，高叟之爲詩也！」

曰：「《凱風》何以不怨？」

曰：「《凱風》，親之過小者也；《小弁》，親之過

以仁義之道不忍興兵三軍之士悅國人化之咸以仁義相接可以致王何必以利爲名也

大者也。親之過大而不怨，是愈疏也；親之過小而怨，是不可磯也。愈疏，不孝也；不可磯，亦不孝也。孔子曰：『舜其至孝矣，五十而慕。』」

譯文

公孫丑道：「高子說：『《小弁》，是小人的詩。』」

孟子說：「爲什麼這樣說呢？」

答道：「因爲它充滿怨憤的情緒。」

孟子說：「高老夫子講解詩未免太淺陋了吧！假如有個人在這裏，越國人開弓要射他，他自己就邊談邊笑地勸說越國人不可這樣做；這並不是有別人的原因，祇是由於越國人和他關係疏遠的緣故。要是他的哥哥開弓要射他，他自己就啼哭着勸說他哥哥不可這樣做；這並不是有別的原因，祇是由於哥哥是他的親人的緣故。《小弁》的怨憤，是出於對自己親人的愛護。愛護親人，是仁的表現。高老夫子講解詩實在太淺陋了啊！」

公孫丑又問道：「《凱風》爲什麼沒有流露怨恨的感情呢？」

孟子說：「《凱風》詩，作者的母親過錯較小；《小弁》詩，作者的父親過錯就較大。對父母親的大過錯毫無怨言，這就顯得與父母疏遠；對父母親的小過錯卻一味地抱怨，這就說明做兒子的心裏不平。過分疏遠自己的父母，雖然是不孝，心裏不平，也同樣是不孝。孔子說：舜要算最孝順的兒子吧，到了五十歲這樣的年齡還是依戀着父母。』」

原文

宋牼將之楚，孟子遇於石丘，曰：「先生將何之？」

曰：「吾聞秦楚構兵，我將見楚王說而罷之。楚王不悅，我將見秦王說而罷之。二王我將有所遇焉。」

曰：「軻也請無問其詳，願聞其指。說之將何如？」

曰：「我將言其不利也。」

曰：「先生之志則大矣，先生之號則不可。先生以利說秦楚之王，秦楚之王悅於利，以罷三軍之師，

是三軍之士樂罷而悅於利也。爲人臣者懷利以事其君，爲人子者懷利以事其父，爲人弟者懷利以事其兄，是君臣、父子、兄弟終去仁義，懷利以相接，然而不亡者，未之有也。先生以仁義說秦楚之王，秦楚之王悅於仁義，而罷三軍之師，是三軍之士樂罷而悅於仁義也。爲人臣者懷仁義以事其君，爲人子者懷仁義以事其父，爲人弟者懷仁義以事其兄，是君臣、父子、兄弟去利，懷仁義以相接也，然而不王者，未之有也。何必曰利？」

譯文

宋牼將要去楚國，孟子在石丘碰見他，問道：「先生要到哪裏去呢？」

答道：「我聽說秦國和楚國正在交戰，我準備去謁見楚王勸說他罷兵。楚王要是不高興（這樣做），我就準備去謁見秦王勸說他罷兵。在兩個國王中間我總會找到和我意見投合的。」

孟子說：「我孟軻不準備打聽詳細情況，但卻想聽聽您的意向。您將怎樣勸說他們呢？」

答道：「我準備去講講交兵的不利之處。」

孟子說：「先生您的用心是很好的，但是您的提法便不合適。先生拿利去勸說秦楚兩國的君王，秦楚兩國的君主由於對利感興趣而罷兵，這就使三軍的官兵樂於罷兵卻對利產生了深厚的興趣。做人臣子的懷着得利的觀點去侍奉他們的君主，做人兒子的懷着得利的觀點去侍奉他們的父親，做人弟弟的懷着得利的觀點去侍奉他們的哥哥，這就使得君臣、父子、兄弟之間完全拋掉仁義，懷着得利的觀點來相互接待，像這樣國家卻不會滅亡的，簡直是沒有的事。先生要是拿仁義去勸說秦楚兩國的君主，秦楚兩國的君主由於對仁義感興趣而罷兵，這就使三軍的官兵樂於罷兵而對仁義產生了濃厚的興趣。做人臣子的懷着仁

義的觀點去奉事他們的君主，做人兒子的懷着仁義的觀點去侍奉他們的父親，做人弟弟的懷着仁義的觀點去侍奉他們的哥哥，這就使得君臣、父子、兄弟之間完全拋去利的觀點，懷着仁義的觀點來相互接待，像這樣卻不能統一天下的，簡直是沒有的事。爲什麼非說利不可呢？」

原文 孟子居鄒，季任爲任處守，以幣交，受之而不報。處於平陸，儲子爲相，以幣交，受之而不報。他日，由鄒之任，見季子；由平陸之齊，不見儲子。屋廬子喜曰：「連得閒矣。」問曰：「夫子之任，見季子；之齊，不見儲子，爲其爲相與？」

曰：「非也。《書》曰：『享多儀，儀不及物曰不享，惟不役志於享。』爲其不成享也。」

屋廬子悅。或問之，屋廬子曰：「季子不得之鄒，儲子得之平陸。」

譯文 孟子住在鄒國時，季任爲任國留守，（代理國君暫行國政）送了禮物和孟子結交，孟子受了禮物卻並沒有回報。後來孟子住在平陸時，儲子做齊國的國相，也送了禮物來和孟子結交，孟子同樣是受了禮物沒有回報。過了些日子，孟子從鄒國到任國去，去拜訪了季子；但是，當他由平陸去齊國首都時，卻沒有去拜訪儲子。屋廬子（知道這種情況後）高興地說：「我找到老師一個漏洞（來發問了）。」問道：「老師您到任國，拜訪了季子；到齊國首都，卻不拜訪儲子，這是因爲他僅是個國相嗎？」

孟子說：「不是的。《尚書》中說過：『享獻之禮以有儀節爲可貴，要是儀節與禮物不相稱那就等於沒有享獻，這祇是因爲享獻的人沒有把心意用在享獻上。』（我之所以不去拜訪儲子）是爲了他的享獻不成其爲享獻的緣故。」

屋廬子（聽了）很高興，有人問他（這是怎麼一回事），屋廬子道：

公儀子名休爲魯相子柳泄柳也削地見侵奪也髡譏孟子雖不去亦未必能有爲也

「季子（因爲有重任在身）不能到鄒國去，而儲子（作爲國相）卻是可以親自去平陸的。」

原文 淳于髡曰：「先名實者，爲人也；後名實者，自爲也。夫子在三卿之中，名實未加於上下而去之，仁者固如此乎？」

孟子曰：「居下位，不以賢事不肖者，伯夷也；五就湯，五就桀者，伊尹也；不惡汙君，不辭小官者，柳下惠也。三子者不同道，其趨一也。一者何也？曰，仁也。君子亦仁而已矣，何必同？」

曰：「魯繆公之時，公儀子爲政，子柳、子思爲臣，魯之削也滋甚。若是乎，賢者之無益於國也！」

譯文 淳于髡說：「重名譽功業的人，是濟世救民；不重視名譽功業的人，是爲了獨善其身。先生您身居齊國三卿的高位，名譽和功業無

論從上輔君王，還是下濟萬民來說，都還無所建樹卻就要離開齊國，一個志士仁人原來是這樣的嗎？」

孟子說：「身居低下的地位，不願意拿自己賢者的身份去侍奉不中用的君主的，是伯夷；五次投到湯的門下，又五次投到桀的門下的，是伊尹；不嫌棄缺德的君主，也不謝絕當小官的，是柳下惠。三個人處世接物的態度不同，但他們總的趨向卻是一致的。這個一致的趨向是什麼呢？我說，就是一個仁字。所以君子衹要趨向於仁就行了，又爲什麼一定要一樣呢？」

淳于髡說：「從前魯繆公的時候，公儀子替他掌握政權，子柳和子思都在他的朝廷上做臣子，可是魯國削弱卻更見厲害。如果是這樣賢者對國家沒有什麼幫助！」

原文 曰：「虞不用百里奚而亡，秦穆公用之而霸。不用賢則亡，削何可得與？」

曰：「昔者王豹處於淇，而河西善謳；綿駒處於高唐，而齊右善歌；華周、杞梁之妻，善哭其夫，而變國俗。有諸內，必形諸外。爲其事而無其功者，髡未嘗睹之也。是故無賢者也，有則髡必識之。」

曰：「孔子爲魯司寇，不用，從而祭，燔肉不至，不稅冕而行。不知者以爲爲肉也，其知者以爲爲無禮也。乃孔子則欲以微罪行，不欲爲苟去。君子之所爲，衆人固不識也。」

譯文

孟子說：「從前虞國因爲不用百里奚便亡了國，秦穆公由於用了他便成就了霸業。可見不用賢者就要導致國家的滅亡，（要想單是）削減點國土又怎麼行得通呢？」

淳于髡說：「從前王豹居住在淇水旁邊，於是河西地方的人們便都擅長於唱歌；綿駒居住在高唐，於是齊國西部地方的人們也都擅長於

唱歌；華周、杞梁的妻子以痛哭她們戰死的丈夫著名，因而改變了齊國的習俗。裏面有什麼，外面也一定會表現什麼。做了一件事卻見不到它的功績的，我從不曾看到過那樣的事情。所以今天實在是沒有賢人；如果有的話，那我就一定會知道他的。」

孟子說：「從前孔子做魯國司寇的官，不被魯君所信任，跟隨魯君去祭祀，祭肉也沒有按規定送來，於是孔子立即離開了魯國。不了解孔子的人以爲孔子是爲了幾塊祭肉而走的，了解孔子的人就知道他是由於魯國君相的無禮才出走。至於孔子卻是（爲了不至顯露君相的過錯）想使自己帶上一點小小罪名而離開魯國，並不願意隨隨便便地出走。一個仁德君子的所作所爲，一般的普通人本來就不能輕易識別理解的。」

原文

孟子曰：「五霸者，三王之罪人也；今之諸侯，五霸之罪人也；今之大夫，今之諸侯之罪人也。天子適諸侯曰巡狩，諸侯朝於天子曰述職。春省耕

而補不足，秋省斂而助不給。入其疆，土地辟，田野治，養老尊賢，俊傑在位，則有慶，慶以地。入其疆，土地荒蕪，遺老失賢，掊克在位，則有讓。一不朝，則貶其爵；再不朝，則削其地；三不朝，則六師移之。是故天子討而不伐，諸侯伐而不討。五霸者，摟諸侯以伐諸侯者也，故曰，五霸者，三王之罪人也。

譯文 孟子說：「五霸，是三王的罪人；現在的諸侯，是五霸的罪人；現在的大夫，又是現在的諸侯的罪人。天子到諸侯國家巡行叫巡狩，諸侯朝見天子叫述職。（天子到諸侯國巡狩）春天視察耕種情況，補助窮困戶，秋天視察收割的情況，對不能自給的缺糧戶進行賑濟。踏進哪個國家的疆界，假如土地開辟了，農事井井有條，老人得到贍養，賢人受到尊敬，杰出的人才都被選拔做官，就有獎賞，賞給土地。要是踏進哪個國家的疆界，土地一片荒蕪，老人被遺棄，賢人散失在野，橫

征暴斂的人高據要職，就得給予責罰。（諸侯對天子）一次不朝見，便要降低他的爵位；再次不朝見，便削減他的封地；三次不朝見，便派出軍隊進行討伐，另立國君。所以天子（對不服從的諸侯）衹發布命令，討他的罪，而不親自出兵去攻打他。諸侯就衹奉命行事，攻伐不服從王朝的諸侯，而不對別的諸侯發號施令，聲罪致討。五霸，是強拉着諸侯去攻伐諸侯的，所以說，五霸是三王的罪人。

原文 「五霸，桓公爲盛。葵丘之會，諸侯束牲載書而歃血。初命曰：『誅不孝，無易樹子，無以妾爲妻。』再命曰：『尊賢育才，以彰有德。』三命曰：『敬老慈幼，無忘賓旅。』四命曰：『士無世官，官事無攝，取士必得，無專殺大夫。』五命曰：『無曲防，無遏糴，無有封而不告。』曰：『凡我同盟之人，既盟之後，言歸於好。』今之諸侯皆犯此五禁，故曰，今之

謂當孟子之時諸侯及大夫也諸侯臣總謂之大夫罪人之事下別言之

諸侯，五霸之罪人也。長君之惡其罪小，逢君之惡其罪大。今之大夫皆逢君之惡，故曰，今之大夫，今之諸侯之罪人也。」

譯文 「五霸中，齊桓公是勢力最強大的。在葵丘那次盟會上，與諸侯們捆綁祭神的牲口（牛），把盟書擱在它的身上，（由於桓公自信諸侯害怕他的威力，不敢背信）沒有舉行歃血的儀式。（盟約共有五條）第一條是，要誅罰不孝父母的人，不要擅自改換已經立了的太子，不得扶立愛妾爲正妻。第二條是，要尊敬賢人，培育人才，借以表彰有德之士。第三條是，尊敬老人，慈愛幼兒，不要怠慢外賓和一般旅客。第四條是，做官的讀書人不得把官位世代相傳，公務不要兼代，選拔人才一定要得人任賢，不拘一格，不得擅自殺戮大夫。第五條是，不得蔑視王法，曲設防禁，不得阻止糧食糴進賣出，不得單憑私恩有所封賞而不報告（盟主）。末了說，凡是我們參加盟會的人，已經訂立盟約之後，便要恢

復正常的友好邦交。現在的諸侯全都違犯了這五條禁令，所以說，現在的諸侯，是五霸的罪人。一味順從，助長君主的過錯，這個罪行還小一點，君主還沒有萌發作惡的念頭，做臣子的卻曲意逢迎，導使作惡，這個罪行可就大了。現在的大夫都是逢迎君主作惡的，所以說，現在的大夫，是現在的諸侯的罪人。」

原文 魯欲使慎子爲將軍。孟子曰：「不教民而用之，謂之殃民。殃民者，不容於堯舜之世。一戰勝齊，遂有南陽，然且不可。」

慎子勃然不悅，曰：「此則滑釐所不識也。」

曰：「吾明告子。天子之地方千里；不千里，不足以待諸侯。諸侯之地方百里；不百里，不足以守宗廟之典籍。周公之封於魯，爲方百里也；地非不足，而儉於百里。太公之封於齊也，亦爲方百里也；地

非不足也，而儉於百里。今魯方百里者五，子以爲有王者作，則魯在所損乎？在所益乎？徒取諸彼以與此，然且仁者不爲，況於殺人以求之乎？君子之事君也，務引其君以當道，志於仁而已。」

譯文 魯國想讓愼子做將軍。孟子說：「不先教練百姓就用他們去打仗，這叫作坑害百姓。坑害百姓的人，在堯舜的時代是容不得的。即使一次戰鬥便打贏了齊國，順利地收復了南陽，這樣尚且不行……」愼子（還沒有把話聽完）便勃然變色，很不高興地說：「這個卻是我所不能弄明白的。」

孟子說：「我明白告訴你好了。天子的轄地見方千里；不到千里，便不夠用以接待來朝見的諸侯。諸侯的轄地見方百里，不到百里，便不夠用以奉守受之於天子和歷代相傳下來珍藏在祖祠裏的文物典章。周公被封在魯國，有約見方百里的土地；土地並不是不夠，但事實上（周

公的封地）卻是少於百里的。太公被封在齊國，也有約見方百里的土地；土地並不是不夠，但事實上也是少於百里的。現時魯國就有五個見方百里的土地，你認爲假如有聖賢之君興起時，那麼魯國的土地將擺在被削減還是被增加的行列中呢？不費一兵一卒之力從那個國家取來土地給與這個國家，這樣仁愛的人尚且不幹，更何況用殺人的手段去取得土地呢？君子侍奉君主（沒有別的訣竅）一定要引導他的君主做到事事在理，心向着仁罷了。」

原文 孟子曰：「今之事君者皆曰：『我能爲君辟土地，充府庫。』今之所謂良臣，古之所謂民賊也。君不鄉道，不志於仁，而求富之，是富桀也。『我能爲君約與國，戰必剋。』今之所謂良臣，古之所謂民賊也。君不鄉道，不志於仁，而求爲之強戰，是輔桀也。由今之道，無變今之俗，雖與之天下，不能一朝居也。」

林氏曰：按《史記》，白圭能薄飲食，忍嗜欲，與童僕同苦樂，樂觀時變，人棄我取，人取我與，以此居積致富。其為此論，蓋欲以其術施之國家也。

譯文

孟子說：「現在那些侍奉君主的人都說：『我能夠替君主開拓疆土，充實府庫。』現在所謂的好臣子，正是古代所謂的害民之賊。君主不趨向道德，又沒有心行仁義，你卻去力求使他富足，這就等於是使夏桀富足。（現在那些侍奉君主的人又說）『我能夠替君主邀結盟國，每次戰爭一定獲得勝利。』現在所謂的好臣子，正是古代所謂的害民之賊。君主不趨向道德，又無心行仁義，你卻去力求替他恃強奮戰，這就等於是輔佐夏桀。假如走着現在的道路，不改變現在的習俗，就算把整個天下給與他，他也是不能統治一個早晨的。」

原文

白圭曰：「吾欲二十而取一，何如？」

孟子曰：「子之道，貉道也。萬室之國，一人陶，則可乎？」

曰：「不可，器不足用也。」

曰：「夫貉，五穀不生，惟黍生之；無城郭、宮室、宗廟、祭祀之禮，無諸侯幣帛饔飧，無百官有司，故二十取一而足也。今居中國，去人倫，無君子，如之何其可也？陶以寡，且不可以為國，況無君子乎？欲輕之於堯舜之道者，大貉小貉也；欲重之於堯舜之道者，大桀小桀也。」

譯文

白圭說：「我想要把稅率改為二十抽一，（你認為）怎麼樣？」

孟子說：「你的做法，是貉國的做法。假定一個有一萬戶的國家，衹有一個人做陶器，那能行得通嗎？」

白圭說：「不行，因為這樣陶器就會不夠用。」

孟子說：「那個貉國，（氣候寒冷）五穀都不能生長，衹有那種（早熟作物）黍才可以（在那裏）成活；那裏沒有城牆、高敞的房舍、祖先的祠廟以及祭祀的禮儀，沒有諸侯間致送幣帛等禮物和宴飲款客的禮節，也沒有各種大小官吏，所以它的稅率定為二十抽一也就夠用了。

現在你住在中國，卻要（像貉族那樣）廢棄社會人類的倫常，不設從事政治的官員，這怎麼能行呢？做陶器的工匠太少了，尚且不能搞好國家，更何況沒有從政的官員呢？要想把稅率定得比堯舜的標準輕的，那就是大貉和小貉；反之，要想把稅率定得比堯舜的標準重的，那就是大桀和小桀。」

原文 白圭曰：「丹之治水也愈於禹。」

孟子曰：「子過矣。禹之治水，水之道也，是故禹以四海爲壑。今吾子以鄰國爲壑。水逆行謂之洚水。洚水者，洪水也。仁人之所惡也。吾子過矣。」

譯文 白圭說：「我治理洪水的功勞超過了大禹。」

孟子說：「你錯了。大禹的治理洪水，是循着水原來所走的道路加以疏導的，所以大禹是把四海作爲消納水的地方。現在你卻是把鄰國作爲消納水的地方。水不遵循故道而四處泛濫叫作洚水。洚水也即是洪水——（因爲它爲害人民，所以）是仁愛百姓的人所最厭惡的。我的先生，你錯了！」

原文 孟子曰：「君子不亮，惡乎執？」

譯文 孟子說：「君子不講求誠信，還能操持什麼呢？」

原文 魯欲使樂正子爲政。孟子曰：「吾聞之，喜而不寐。」

公孫丑曰：「樂正子強乎？」

曰：「否。」

曰：「有知慮乎？」

曰：「否。」

曰：「多聞識乎？」

曰：「否。」

「然則奚爲喜而不寐？」

曰：「其爲人也好善。」

「好善足乎？」

曰：「好善優於天下，而況魯國乎？夫苟好善，則四海之內皆將輕千里而來告之以善；夫苟不好善，則人將曰：『訑訑，予既已知之矣！』訑訑之聲音顏色距人於千里之外。士止於千里之外，則讒諂面諛之人至矣。與讒諂面諛之人居，國欲治，可得乎？」

【譯文】魯國打算讓樂正子主持國家政事。孟子說：「我一聽到這消息，歡喜得連覺都睡不着。」

公孫丑說：「樂正子堅強果斷嗎？」

答道：「不。」

「有智慧善於思考問題嗎？」

答道：「不。」

「博學多聞見識廣闊嗎？」

答道：「不。」

「那麽您爲什麽會歡喜得連覺都睡不着呢？」

答道：「他的爲人歡喜聽取有益的話。」

「祇要歡喜聽取有益的話就夠了嗎？」

答道：「祇要歡喜聽取有益的話，用它來治理天下都還綽綽有餘，更何況治理魯國呢？如果眞的歡喜聽取有益的話，那四方的好善之士都會不遠千里地趕來把有益的話告訴他；要是眞個不喜歡聽有益的話，那人們將會（學着他的語言神態）道：『嗯嗯，（你說的）我全都已經知道了！』這種（帶有輕蔑性的）嗯嗯的聲音臉色簡直把人家拒絕在千里之外了。好善之士被阻止在千里之外，那些愛打小報告、說奉承話的人隨後便到了，跟那些愛打小報告、說奉承話的人爲伍，要想把國家治理好，能夠做得到嗎？」

其下者困而不能與之祿則當去矜其困而問之苟免死而已此三就三去之道窮餓而去不疑也故不言去免死而留爲死故也權時之宜嫌其疑也故載之也

原文 陳子曰：「古之君子何如則仕？」

孟子曰：「所就三，所去三。迎之致敬以有禮；言，將行其言也，則就之。禮貌未衰，言弗行也，則去之。其次，雖未行其言也，迎之致敬以有禮，則就之。禮貌衰，則去之。其下，朝不食，夕不食，飢餓不能出門戶，君聞之，曰：『吾大者不能行其道，又不能從其言也，使飢餓於我土地，吾恥之。』周之，亦可受也，免死而已矣。」

譯文 陳子問：「古代的君子在怎樣的情況下才出來做官呢？」

孟子說：「（古代的君子）就職的情況有三種，去職的情況也有三種。迎接他時能有敬意而又有禮貌；他有所進言，（君主）又將付諸實行，便就職。（君主）對他的禮貌儘管沒有減弱，可是對他的進言卻不能付諸實行，就去職。其次，雖然不能實行他的進言，但迎接他時卻能有敬意而又有禮貌，便就職。如果君主對他的禮貌減弱了，就去職。最下等的，他早上吃不上飯，晚上也吃不上飯，肚子飢餓得無力走出門戶，君主知道這種情況後，說：『我從大的方面說不能實行他的政治主張，又不能聽從他的進言，以致使他在我的國土上忍飢挨餓，我對這件事感到恥辱。』（在這樣的情況下）給予他周濟，就也可以接受，這不過是爲了免於一死而已。」

原文 孟子曰：「舜發於畎畝之中，傅說舉於版築之間，膠鬲舉於魚鹽之中，管夷吾舉於士，孫叔敖舉於海，百里奚舉於市。故天將降大任於是人也，必先苦其心志，勞其筋骨，餓其體膚，空乏其身，行拂亂其所爲，所以動心忍性，曾益其所不能。人恒過，然後能改；困於心，衡於慮，而後作；徵於色，發於聲，而後喻。入則無法家拂士，出則無敵國外患者，國恒

亡。然後知生於憂患，而死於安樂也。」

譯文　孟子說：「舜是在田野中發迹的，傳說是從築牆的苦役中被提拔的，膠鬲是從販賣魚和鹽的行業中被推薦上來的，管夷吾是從獄官手中選拔出來充任國相的，孫叔敖是從海邊僻遠的地方選拔的，百里奚是從畜牧業主那裏贖買上來的。所以上天將要把治國治民的重任加在某個人的肩頭上，一定先要使他遭受種種困難的折磨，弄得他心煩意亂，筋骨勞累，肚腸飢餓，口袋空空的，想做點什麼便被幹擾打亂，諸事都不如意，這就是爲了要使心裏震動，得到鍛煉，性格堅韌，由此而增加他平時所不能具有的能力。一個人祇有經歷多次錯誤和失敗的教訓，然後才能改過自新，走上正路；祇有經過艱苦的思想鬥爭和錯綜復雜的重重思慮，然後才能有所作爲。祇有（在痛苦的磨煉過程中）表現爲形容憔悴的顏色，發出悲歌慷慨的聲音，然後才能被人們了解。一個國家要是國內沒有知法度的大臣和能爲國君左右手的士子，國外又缺乏對敵國外患侵擾的遠慮，這樣的國家常常是要滅亡的。從這裏，我們可以悟得人爲什麼在憂愁患難中能夠得到生存，而在安逸歡樂中卻反會遭到毀滅的道理了。」

原文　**孟子曰：「教亦多術矣，予不屑之教誨也者，是亦教誨之而已矣。」**

譯文　孟子說：「教育也有多種多樣的方式方法，那些我不屑給予教誨的人，這其實也是對他的一種教誨呢。」

盡其道則所值之吉凶皆莫之致而至者矣桎梏死者非正命也桎梏所以拘罪人者言犯罪而死與立巖牆之下者同皆人所取非天所爲也

盡心章句上

原文　孟子曰：「盡其心者，知其性也。知其性，則知天矣。存其心，養其性，所以事天也。殀壽不貳，修身以俟之，所以立命也。」

譯文　孟子說：「能夠竭盡他的善心的，便是眞正了解了人的本性。懂得了人的本性，便是知道了天命。（一個人）如果能努力保存他的善心，培養他稟受自天的善性，目的就在於正確對待天命。不管短命或是長壽都毫不懷疑動搖，衹要是修身養性以等待天命的抉擇，這就是用來安身立命的方法。」

原文　孟子曰：「莫非命也，順受其正；是故知命者不立乎巖牆之下。盡其道而死者，正命也；桎梏死者，非正命也。」

譯文　孟子說：「不要去非命而死，去順理而行，接受天所注定的正

常命運吧！所以懂得天命的人不會站在快要傾倒的牆壁下面。一切完全按正道行事而死的人，他所接受的是正常的命運；那些犯罪坐牢而死的人，他們所接受的就是不正常的命運。」

原文　孟子曰：「求則得之，舍則失之，是求有益於得也，求在我者也。求之有道，得之有命，是求無益於得也，求在外者也。」

譯文　孟子說：「（有的東西）追求它就能夠得到，放棄它就會失掉，這種追求是對獲得（這個東西）有益處的，這是因爲所追求的東西就在我本身之內（能否獲得它取決於我自己）。（有的東西）追求它得有一定的原則，能否得到它得由命運安排，這種追求是對獲得（這個東西）毫無益處的，這是因爲所追求的東西存在於我的身外（能不能得到它就由不得自己了）。」

原文　孟子曰：「萬物皆備於我矣。反身而誠，樂莫

大焉。強恕而行，求仁莫近焉。」

譯文　孟子說：「一切我都具備了。假如我反躬自問，自己是忠誠踏實的，就沒有什麼事比這更快樂的了。按任何事都推己及人的恕道去做，那麼，求得仁德的道路便沒有比這更近的了。」

原文　**孟子曰：「行之而不著焉，習矣而不察焉，終身由之，而不知其道者，衆也。」**

譯文　孟子說：「（人人都有仁義之心）如果僅僅這樣做下去，卻不明白爲什麼要這樣做，習以爲常，卻不問這樣做的原因，一生都打這條道路走，卻不思考一下這是條什麼道路，這種人就是普通的人。」

原文　**孟子曰：「人不可以無恥，無恥之恥，無恥矣！」**

譯文　孟子說：「一個人不可以沒有羞恥；一個人如果能夠感到自己沒有羞恥爲可恥，（因而改過自新）他便可以終身不再蒙受羞恥了。」

呂蒙

人都有羞惡之心，明羞惡才能更上進。呂蒙本是一介莽夫，不通文理，時常受人歧視。他深覺羞愧，後來發憤苦讀，終有所成。後世人稱「士別三日，當刮目相看」，卽源於此。

原文　孟子曰：「恥之於人大矣，爲機變之巧者，無所用恥焉。不恥不若人，何若人有？」

譯文　孟子說：「羞恥之心對於人來說關係非常大，那些搞陰謀詭計的人，是沒有什麼地方用得着羞恥的。一個人要是不把不如別人看作是羞恥，那他還有什麼地方能比得上別人呢？」

原文　孟子曰：「古之賢王好善而忘勢，古之賢士何獨不然？樂其道而忘人之勢，故王公不致敬盡禮，則不得亟見之。見且由不得亟，而況得而臣之乎？」

譯文　孟子說：「古代的賢君喜愛有德行的賢士，忘記自己的權勢地位，古代的賢士又何嘗不是這樣？他們熱愛他們信奉的義理，忘記別人的權勢地位，所以王公們要是對他們不能做到誠心誠意，禮儀周到，就不能多次見到他們。相見的次數尚且不能多，更何況要把他們作爲自己的臣下呢？」

原文　孟子謂宋句踐曰：「子好游乎？吾語子游。人知之，亦囂囂；人不知，亦囂囂。」

曰：「何如斯可以囂囂矣？」

曰：「尊德樂義，則可以囂囂矣。故士窮不失義，達不離道。窮不失義，故士得己焉；達不離道，故民不失望焉。古之人，得志，澤加於民；不得志，修身見於世。窮則獨善其身，達則兼善天下。」

譯文　孟子對宋句踐說：「你喜歡到各國去游說嗎？我告訴你關於游說應取的態度。人家理解我，也悠閑自得；人家不理解我，也悠閑自得。」

問道：「要怎樣才能做到悠閑自得呢？」

答道：「一個人能尊重自己的德行，以行爲合於義爲樂，就可以悠閑自得了。所以士人在窮困時不丟掉義，在得志時不偏離道。士人能夠在

古之人得志君國則德澤加於民人不得志謂賢者不遭遇也見立也獨治其身以立於世間不失其操也是故獨善其身達謂得行其道故能兼善天下也

窮困時不丟掉義，所以能自得其樂；能夠在得志時不偏離道，所以使百姓不致感到失望。古代的君子，得了志，恩澤普遍施加到百姓；萬一不得志，也能自修品德，有所表現於世。窮困時搞好自身的品德修養，得志時便讓普天下百姓都各得其所。」

原文 孟子曰：「待文王而後興者，凡民也。若夫豪傑之士，雖無文王猶興。」

譯文 孟子說：「要等待有文王這樣的聖君出現，然後才知道興起向善的，是一般的人。至於杰出的人物，就算沒有文王這樣的聖君出現，也還是能夠自覺地興起向善的。」

原文 孟子曰：「附之以韓魏之家，如其自視欿然，則過人遠矣。」

譯文 孟子說：「（除了他自己的家業外）再拿（晉國）韓魏兩大家族的財富加上去，如果他自己看來，覺得（仁義之道還不足）並不值得自滿，這樣的人就遠遠超出了普通人。」

原文 孟子曰：「以佚道使民，雖勞不怨。以生道殺民，雖死不怨殺者。」

譯文 孟子說：「從謀求百姓能過上溫飽安逸生活的原則出發而役使百姓，他們儘管勞累一些，也不會埋怨。從維護廣大百姓生存的原則出發而不得已殺人，被殺者因爲有罪而死，也不會怨恨殺他的人。」

原文 孟子曰：「霸者之民驩虞如也，王者之民皞皞如也。殺之而不怨，利之而不庸，民日遷善而不知爲之者。夫君子所過者化，所存者神，上下與天地同流，豈曰小補之哉？」

譯文 孟子說：「霸者的百姓（由於明顯地看到君主的惠澤，因而）感恩戴德，歡天喜地，王者的百姓（身受君主的德澤而不自覺，因而）心曠神怡，怡然自得。（在王道的熏陶下）百姓被殺了，卻並不怨恨，

居深山謂耕歷山時也蓋聖人之心至虛至明渾然之中萬理畢具一有感觸則其應甚速而無所不通非孟子造道之深不能形容至此也

百姓蒙受恩澤，卻並不歸功於誰，百姓一天一天趨向於善卻不知道是誰造成的。聖人所到的地方，人們受到感化，他所在的國家，潛移默化，神秘莫測，他的功德在上天與地下一同運轉不息，難道說這衹是小小的補益嗎？」

原文 **孟子曰：「仁言不如仁聲之入人深也，善政不如善教之得民也。善政，民畏之；善教，民愛之。善政得民財，善教得民心。」**

譯文 孟子說：「仁厚的言辭比不上仁德的聲望深入人心，良好的政治不如良好的教育深得人心。良好的政治，百姓害怕它；良好的教育，百姓喜愛它。良好的政治得到的是百姓的財物，良好的教育得到的卻是百姓的心。」

原文 **孟子曰：「人之所不學而能者，其良能也；所不慮而知者，其良知也。孩提之童無不知愛其親者，及其長也，無不知敬其兄也。親親，仁也；敬長，義也；無他，達之天下也。」**

譯文 孟子說：「人們不用學習就會做的，這是他們的本能；沒必要用腦筋思考就可以知道的，這是他們的良知。二三歲光會笑、要人抱的小孩，沒有不知道愛他的父母的，等到長大了，又沒有不知道尊敬他的兄長的。親愛父母便是仁；尊敬兄長便是義。打算有所作爲使澤被萬民的聖人沒有其他訣竅，衹不過是把人的這種天生的仁義之心推廣到天下罷了。」

原文 **孟子曰：「舜之居深山之中，與木石居，與鹿豕游，其所以異於深山之野人者幾希。及其聞一善言，見一善行，若決江河，沛然莫之能禦也。」**

譯文 孟子說：「舜住在深山時，跟樹木和石頭一塊做伴，和麋鹿野豬一同游息，他的用以區別於深山野人的地方幾乎沒有。可是等到他

聽到一句有益的話語，看到一種良好的行爲，（便立即采納，雷厲風行）好像江河決了口，聲勢浩大得沒有誰能阻擋得了。」

原文　**孟子曰：「無爲其所不爲，無欲其所不欲，如此而已矣。」**

譯文　孟子說：「不要做那些自己所不願做的事，不要貪圖那些自己所不該要的東西，一個人能做到這一點就夠了。」

原文　**孟子曰：「人之有德慧術知者，恒存乎疢疾。獨孤臣孽子，其操心也危，其慮患也深，故達。」**

譯文　孟子說：「有德行、聰明、學術和才智的，往往是那些經常處於危險處境的人。衹有那些孤立無援的臣下和不是正妻所生被人歧視的庶子，他們才提心吊膽，對於禍患的思考也較深，所以能通曉事理，洞達人情。」

原文　**孟子曰：「有事君人者，事是君則爲容悅者也；有安社稷臣者，以安社稷爲悅者也；有天民者，達可行於天下而後行之者也；有大人者，正己而物正者也。」**

譯文　孟子說：「（人的品格有四等）有侍奉君主的一種人，他們侍奉這些君主專是爲了討得君主們的歡心；有安邦定國的臣子，他們是以安定國家爲樂事的；有高深學問涵養的天民，他們一定要知道他們的道可以暢行於天下然後才出來行道；有變化通神的大人，他們衹要一端正自己，外物便很自然地也跟着得到了端正。」

原文　**孟子曰：「君子有三樂，而王天下不與存焉。父母俱存，兄弟無故，一樂也；仰不愧於天，俯不怍於人，二樂也；得天下英才而教育之，三樂也。君子有三樂，而王天下不與存焉。」**

譯文　孟子說：「君子有三件樂事，但統一天下卻不包含在裏面。父

母全都健在，兄弟也沒災沒病，是第一件樂事；上對得住天，下對得起人，是第二件樂事；得到天下優秀的人才對他們進行教育，是第三件樂事。君子有三件樂事，但統一天下卻不包含在裏面！」

【原文】孟子曰：「廣土眾民，君子欲之，所樂不存焉；中天下而立，定四海之民，君子樂之，所性不存焉。君子所性，雖大行不加焉，雖窮居不損焉，分定故也。君子所性，仁義禮智根於心，其生色也睟然，見於面，盎於背，施於四體，四體不言而喻。」

【譯文】孟子說：「國土廣闊，人口眾多，這固然是君子所希求的，但他所感興趣的卻不在這裏；屹立於天下的中央，使海內的百姓普遍得到安定，君子對這個自然感到快樂，但他所得自天然的本性卻不在這裏。君子所得自天然的本性，縱然是他的政治理想在天下完全得到實行也不會因此在上面增添一點什麼，即使是困居鄉裏也不會因此從那裏減少一點什麼，這是由於本性已經固定了的緣故。君子所得自天的本性，仁義禮智深深植根在他的心中，它生發出來的神色溫潤清和，表現在顏面，顯露於肩背，遍及到四肢，四肢一動作，它不待用語言說明，人們一看便知道了。」

【原文】孟子曰：「伯夷辟紂，居北海之濱，聞文王作，興曰：『盍歸乎來，吾聞西伯善養老者。』太公辟紂，居東海之濱，聞文王作，興曰：『盍歸乎來，吾聞西伯善養老者。』天下有善養老，則仁人以爲己歸矣。五畝之宅，樹牆下以桑，匹婦蠶之，則老者足以衣帛矣。五母雞，二母彘，無失其時，老者足以無失肉矣。百畝之田，匹夫耕之，八口之家足以無飢矣。所謂西伯善養老者，制其田里，教之樹畜，導其妻子使養其老。五十非帛不暖，七十非肉不飽。不暖不

飽，謂之凍餒。文王之民無凍餒之老者，此之謂也。」

譯文

孟子說：「伯夷逃避紂王，住在北海邊上，聽說文王興盛起來了，便精神振奮地說：『爲什麼不歸依到那裏去呢？我聽說西伯是善於養老的人。』太公姜尚逃避紂王，住在東海邊上，聽說文王興盛起來了，便精神振奮地說：『爲什麼不歸依到那裏去呢！我聽說西伯是善於養老的人。』祇要天下有善於養老的人，那麼仁人們便把他當作自己的歸宿了。五畝大小的住宅，把桑樹種在牆腳下，讓一個婦女養蠶繅絲，那麼老年人就能夠穿上絲棉襖了。每戶人家所養的五祇母鷄，二頭母豬，不要耽誤了它們飼養和繁殖的時機，老年人就不會沒有肉吃了。百畝田地，一個丁壯農夫耕種，八口人的家庭就足夠吃飽了。人們所說的西伯善於養老，（指的是他）規定分配給百姓土地和住宅的數字和大小，指導他們栽種和畜牧，教導他們的妻子兒女奉養他們家的老人。人到了五十歲，不着絲棉便不能暖身子，到了七十歲，沒有肉食便不能飽肚子。身子不暖肚子不飽，便叫作受凍挨餓。所謂文王的老百姓沒有受凍挨餓的老人，說的就是這個意思。」

原文

孟子曰：「易其田疇，薄其稅斂，民可使富也。食之以時，用之以禮，財不可勝用也。民非水火不生活，昏暮叩人之門戶求水火，無弗與者，至足矣。聖人治天下，使有菽粟如水火。菽粟如水火，而民焉有不仁者乎？」

焉於虔反水火民之所急宜其愛之而反不愛者多故也尹氏曰言禮義生於富足民無常產則無常心矣

譯文

孟子說：「祇要整治好耕地，賦稅收輕點，是可以使百姓富足的。（再教育他們注意節儉）食用要有時節，用錢不超過禮數，財物便用不盡了。百姓沒有水和火是活不下去的，要是黑夜敲門向別人討碗水或要個火，是沒有人會不給的，這是因爲水火家家都多極了的緣故。聖人治理天下，就要使百姓家有糧食像水火那樣充足。百姓家的糧食像水火那樣多了，怎麼還會有不仁愛的呢？」

原文　孟子曰：「孔子登東山而小魯，登泰山而小天下，故觀於海者難為水，游於聖人之門者難為言。觀水有術，必觀其瀾。日月有明，容光必照焉。流水之為物也，不盈科不行；君子之志於道也，不成章不達。」

譯文　孟子說：「孔子登上東山便覺得魯國小了，登上泰山就覺得天下也小了，所以對於觀看過大海的人，作為水要再得到他的贊嘆就難了，對於曾到聖人門下游學過的人，作為言談要再打動他的心弦也就不易了。觀看水有觀看水的方法，一定得觀看它無比壯闊的波瀾。太陽和月亮都有耀目的光輝，凡是能容納光綫的小小縫隙都一定能夠照到。流水這個東西，不填滿地面上那些坎坎窪窪，它是不會前進的；君子有志於鑽研道術，不日積月累，有一定的成就，就不能由此及彼，通達事理。」

原文　孟子曰：「雞鳴而起，孳孳為善者，舜之徒也；雞鳴而起，孳孳為利者，蹠之徒也。欲知舜與蹠之分，無他，利與善之間也。」

譯文　孟子說：「一聽到雞叫便起來，努力不懈地行善事的，是舜一類的人；一聽到雞叫便起來，努力不懈地追求私利的，是蹠一類的人。要想知道舜跟蹠的區分，沒有別的，祇在利和善這極其微小的差異中。」

原文　孟子曰：「楊子取為我，拔一毛而利天下，不為也。墨子兼愛，摩頂放踵利天下，為之。子莫執中。執中為近之。執中無權，猶執一也。所惡執一者，為其賊道也，舉一而廢百也。」

譯文　孟子說：「楊子采納為我的主張，就算祇需拔去自己一根毫毛卻能使天下得利，都不願意幹。墨子主張兼愛，哪怕磨禿頭頂，走破腳跟，祇要對天下人有利，也願意幹。子莫就（不同於二人）堅持折中的主張。堅持折中的主張算是近乎正確，但如果持折中的主張而不知

介有分辨之意柳下惠進不隱賢必以其道遺佚不怨阨窮不憫直道事人至於三黜是其介也此章言柳下惠和而不流與孔子論夷齊不念舊惡意正相類皆聖賢微顯闡幽之意也

道隨時變通，那也還是固執一偏。我們之所以討厭固執一偏的主張，就因爲它損害了仁義之道，顧及一端不放棄其餘的原因。」

原文 **孟子曰：「飢者甘食，渴者甘飲，是未得飲食之正也，飢渴害之也。豈惟口腹有飢渴之害？人心亦皆有害。人能無以飢渴之害爲心害，則不及人不爲憂矣。」**

譯文 孟子說：「肚子餓的人吃着什麼食物都覺得是美的，口渴的人喝着什麼飲料都覺得是甜的，這實際是沒有嘗到飲料和食物的正常滋味，原因是由於極度的飢渴妨害了他們品嘗滋味的正常感覺。難道衹是嘴巴和肚子有飢渴的妨害嗎？人們的心也都有類似的妨害。要是人們能使他們的心不受像飢渴對於肚子嘴巴那樣的妨害，那麼儘管自己一時還不如別人，也不會因此而發愁了。」

原文 **孟子曰：「柳下惠不以三公易其介。」**

譯文 孟子說：「柳下惠不因爲居於三公的高位而改變他特立獨行的操守。」

原文 **孟子曰：「有爲者辟若掘井，掘井九軔而不及泉，猶爲棄井也。」**

譯文 孟子說：「有作爲的人譬如打井一樣，井打到六七丈深卻沒有挖到地下泉，也還是一口廢井。」

原文 **孟子曰：「堯舜，性之也；湯武，身之也；五霸，假之也。久假而不歸，惡知其非有也。」**

譯文 孟子說：「堯舜實行仁義，是出於本性；湯武，躬行仁義，勉力恢復本性；至於五霸，卻是假借仁義之名，來圖謀他們的私利。但借久了不歸還，別人（受了他們的蒙蔽）又如何能知道他們並沒有仁的行爲呢？」

原文 **公孫丑曰：「伊尹曰：『予不狎於不順，放太**

甲於桐，民大悅。太甲賢，又反之，民大悅。』賢者之爲人臣也，其君不賢，則固可放與？」

孟子曰：「有伊尹之志，則可；無伊尹之志，則篡也。」

譯文 公孫丑問：「伊尹說：『我看不慣那些不順義理的人。於是他把太甲放逐到桐去，老百姓非常高興。太甲改過自新了，他又將他迎接回來，老百姓也非常高興。』賢人做了人家的臣子，要是他的君主不好，就能放逐嗎？」

孟子說：「有伊尹那樣爲公的心思，就可以；沒有伊尹那樣爲公的心思，就是篡權了。」

原文 公孫丑曰：「《詩》曰：『不素餐兮。』君子之不耕而食，何也？」

孟子曰：「君子居是國也，其君用之，則安富尊榮；其子弟從之，則孝悌忠信。『不素餐兮』，孰大

清剛立節

君子不會無故受人饋贈，哪怕自己衣不蔽體，食不果腹。明朝有一廉吏王進，爲人清廉節儉，離任時行李不多，對百姓所贈物品一概不受。

於是？」

譯文　公孫丑問：「《詩經》中說：『不白吃飯呀！』（那就是說人應該耕種才能吃飯）可現在的君子卻不種田也吃飯，這是什麼緣故呢？」

孟子說：「君子居住在這個國家，如果這個國家的君主用他做官，便能使國家和君主安定、富足而又保持崇高光榮的地位；如果他們的子弟跟着他學習，便能孝敬父母、尊敬兄長、忠心耿耿、講究誠信。不白吃飯呀，還有什麼功勞比這個更大的嗎？」

原文　**王子墊問曰：「士何事？」**

孟子曰：「尚志。」

曰：「何謂尚志？」

曰：「仁義而已矣。殺一無罪，非仁也；非其有而取之，非義也。居惡在？仁是也；路惡在？義是也。居仁由義，大人之事備矣。」

譯文　王子墊問道：「士做些什麼事？」

孟子說：「士應當使自己保持高尚的志向。」

又問：「怎樣才能說是志向高尚呢？」

答道：「不過是堅持仁和義罷了。祇要是殺害一個沒有罪的人，便是不仁；祇要是財物不是他自己應該得的卻取用了，便是不義。士應該居住在什麼地方呢？仁便是的；士應該行走的路在哪裏呢？義便是的。住的是仁，經由的是義，就算是在官的大人分內的事情也都全部具備了。」

原文　**孟子曰：「仲子，不義與之齊國而弗受，人皆信之，是舍簞食豆羹之義也。人莫大焉亡親戚、君臣、上下。以其小者信其大者，奚可哉？」**

譯文　孟子說：「陳仲子這個人，要是毫無道理地把個齊國給他，他是不會接受的，人們都相信這件事，其實，這種義是等於放棄一筐飯一

夫音扶惡平聲言皋陶之法有所傳受非所敢私雖天子之命亦不得而廢之也

碗湯的義。人的罪過再沒有什麼比不要父兄君臣尊卑更大的了（而仲子便正是犯有這種罪過）。又怎能因爲他有這點廉潔的表現便相信他的大節操呢？」

原文 桃應問曰：「舜爲天子，皋陶爲士，瞽瞍殺人，則如之何？」

孟子曰：「執之而已矣。」

「然則舜不禁與？」

曰：「夫舜惡得而禁之？夫有所受之也。」

「然則舜如之何？」

曰：「舜視棄天下猶棄敝蹝也。竊負而逃，遵海濱而處，終身訢然，樂而忘天下。」

譯文 桃應問道：「舜做天子，皋陶當法官，假定瞽瞍殺了人，那該怎麼辦？」

孟子說：「那就祗有把他抓起來了。」

「那麼舜不會出來阻止嗎？」

答道：「舜怎麼能出來阻止呢？（皋陶所執行的法）是有所傳授的（又怎敢徇私枉法呢）。」

「那麼舜怎麼辦呢？」

答道：「舜把拋棄天下看作是拋掉一雙破鞋一樣。他會偷偷地背着犯法的父親逃走，一路上沿着海邊住下來，一輩子高高興興地，享受天倫之樂，把曾經做天子享有天下的事情拋在腦後。」

原文 孟子自范之齊，望見齊王之子，喟然嘆曰：「居移氣，養移體，大哉居乎！夫非盡人之子與？」

孟子曰：「王子宮室、車馬、衣服多與人同，而王子若彼者，其居使之然也。況居天下之廣居者乎？魯君之宋，呼於垤澤之門。守者曰：『此非吾君也，

何其聲之似我君也？』此無他，居相似也。」

譯文　孟子從范邑到齊國的首都去，遠遠地看見了齊王的兒子，深有感觸地長嘆道：「一個人所處的環境改變他的氣度，所受的奉養改變他的體魄，環境對人們的影響是多麼大啊！他和普通人不都是人的兒子嗎？（他爲什麼會顯得這樣與衆不同）」

孟子接下去又說：「王子的住房、車馬、衣服多半跟別人的幾乎一樣，可王子卻顯示出那樣不凡的氣魄，這就是由於他所處的環境使他變得這樣的緣故；（王宮的環境尚且能使他變得這樣與衆不同）何況處在天下最廣闊的環境『仁』中的人呢？魯君有一次到宋國去，去宋國垤澤的城門下吆喝，守門的人說：『這不是我們的君主，爲什麼他的聲音這樣像我們的君主呢？』這沒有別的原因，衹是因爲他們所處的環境相似。」

原文　**孟子曰：「食而弗愛，豕交之也；愛而不敬，獸畜之也。恭敬者，幣之未將者也。恭敬而無實，君子不可虛拘。」**

譯文　孟子說：「對於賢人衹知奉養而不愛，那就跟把他當成豬一樣接待差不多，光知愛而不知尊敬，那就等於把他當成獸類一樣豢養着。恭敬之心，是應在送禮物之前就具備了的。徒有恭敬的形式（而沒有恭敬的實質），君子是不會被這種虛假的禮儀所留住的。」

原文　**孟子曰：「形色，天性也；惟聖人然後可以踐形。」**

譯文　孟子說：「人的形體容貌，都是秉自然之理而生成的，這就是所謂天性；衹有聖人才能盡這種自然之理，使天生的形體更加充實完美，無愧於天性。」

原文　**齊宣王欲短喪。公孫丑曰：「爲期之喪，猶愈於已乎？」**

孟子曰：「是猶或紾其兄之臂，子謂之姑徐徐云

爾，亦教之孝弟而已矣。」王子有其母死者，其傅爲之請數月之喪。公孫丑曰：「若此者何如也？」

曰：「是欲終之而不可得也。雖加一日愈於已，謂夫莫之禁而弗爲者也。」

譯文 齊宣王想縮短喪禮規定的守孝時間，通過公孫丑問孟子道：「父母死後守孝一周年，還是比完全不守孝更強些吧？」

孟子說：「這就像有個人扭他哥哥的胳膊，你對他說暫且慢慢兒扭吧，（這又有什麼用呢）也衹有拿孝敬父母尊敬兄長的道理教育他好了。」王子中有個他的母親去世了，他的老師替他請求（爲他死去的母親）守幾個月的孝。公孫丑（就這件事）問孟子道：「像這樣的事該怎麼樣呢？」

答道：「這個是這位王子想守完三年的孝（而又受到喪禮的限制）不可能做到的。（我上次所說的）那怕是增加一天守孝的時間也比完

全不守孝的好，說的是那些並沒有人禁止守孝而自己不去守孝的人。」

原文 孟子曰：「君子之所以教者五：有如時雨化之者，有成德者，有達財者，有答問者，有私淑艾者。此五者，君子之所以教也。」

譯文 孟子說：「君子用來教育人的方式有五種：有像及時雨那樣化育萬物（使得蓬勃生長）的，有幫助培養成優良品德的，有多方誘導發展特有才幹使之成材的，有解答學生提出的疑難問題的，有拿自身的品德學問，影響那些不能登門受業的人，使他們通過自修得到成功的。這五種方式，便是君子用來教育人的方式。」

原文 公孫丑曰：「道則高矣，美矣，宜若登天然，似不可及也。何不使彼爲可幾及而日孳孳也？」

孟子曰：「大匠不爲拙工改廢繩墨，羿不爲拙射變其彀率。君子引而不發，躍如也。中道而立，能者

中者無過不及之謂中道而立言其非難非易能者從之言學者當自勉也此章言道有定體教有成法卑不可抗高不可貶語不能顯默不能藏

從之。」

【譯文】公孫丑說：「道可說是高了，美了，可就是好像登天一般，似乎有點高不可攀。怎不使它變得可以接近，以便別人每日用功去鑽求的呢？」

孟子說：「高明的木匠不會因爲笨拙的徒工而改變或是拋棄操作時必不可少的墨綫，善射箭的羿也不會因爲學射人的笨拙而改變要求彎弓時所應達到的限度。君子（教人，正像射手教射箭一般）搭上箭拉滿弓，並不把箭發出去，衹是（示範性地）作出躍躍欲試的姿勢。他立下一個合於中庸之道、不難也不易的學習準則，能接受這個準則的就跟上去。」

【原文】**孟子曰：「天下有道，以道殉身；天下無道，以身殉道。未聞以道殉乎人者也。」**

【譯文】孟子說：「天下正道清明，以道跟隨自身，并使道得以施行；天下要是離開正道，賢者本身便隨着道的不能施行而隱居起來；我沒有聽說過爲了逢迎王侯而歪曲甚至破壞正道的。」

【原文】**公都子曰：「滕更之在門也，若在所禮，而不答，何也？」**

孟子曰：「挾貴而問，挾賢而問，挾長而問，挾有勛勞而問，挾故而問，皆所不答也。滕更有二焉。」

【譯文】公都子說：「滕更在您門下學習，似乎應擺在以禮相待的人的行列，您卻不回答他的發問，這是什麼原因呢？」

孟子說：「仗着自己的權位高來發問，仗着自己有點才幹名氣來發問，仗着自己年紀比人家大幾歲來發問，仗着自己是有功之臣來發問，仗着自己與人家有點老交情來發問，所有這些都是我不予回答的。滕更這個人（在五條裏面）犯了兩條（按指『挾貴』、『挾賢』）。」

【原文】**孟子曰：「於不可已而已者，無所不已。於所**

厚者薄，無所不薄也。其進鋭者，其退速。」

譯文 孟子說：「對於不當停止（或罷黜）的事卻停止了，那就沒有什麼事不可以半途而廢了。對於應當厚待的人卻薄待了，那就沒有什麼人不可以薄待了。那些進用太突然了的人，他被罷退也一定會很快的。」

原文 孟子曰：「君子之於物也，愛之而弗仁；於民也，仁之而弗親。親親而仁民，仁民而愛物。」

譯文 孟子說：「君子對待（草木禽獸等）萬物，愛惜它們卻不施給仁德；對於百姓，施給仁德卻並不親愛。君子親愛自己的親人，推而施仁德於百姓；對百姓施給仁德，推而愛惜萬物。」

原文 孟子曰：「知者無不知也，當務之爲急；仁者無不愛也，急親賢之爲務。堯舜之知而不偏物，急先務也；堯舜之仁不偏愛人，急親賢也。不能三年之喪，而緦、小功之察；放飯流歠，而問無齒決，是之謂不知務。」

譯文 孟子說：「智者本來應無所不知，但一定先急於處理好當前第一位的工作；仁者本應無所不愛，但必須把親近賢人當作惟一的急務。堯舜的智慧雖高，卻不可能知道一切事物，因爲他們得急於知道當前首要的任務；堯舜的仁德雖大，卻不可能愛所有的人，因爲他們得急於親近賢人。譬如一個人不能執行三年的喪禮，而對緦麻和小功這樣三五個月較輕的喪禮卻過分講究；自己跟長輩同席，毫無禮貌，竟然大口大口地吃飯、喝湯，但是卻很講究不用牙齒咬斷乾肉這種小禮節，這就叫作不識大體。」

征所以正人也諸侯有罪則天子討而正之此春秋所以無義戰也

盡心章句下

原文　孟子曰：「不仁哉梁惠王也！仁者以其所愛，及其所不愛，不仁者以其所不愛，及其所愛。」

公孫丑曰：「何謂也？」

「梁惠王以土地之故，糜爛其民而戰之，大敗，將復之，恐不能勝，故驅其所愛子弟以殉之，是之謂以其所不愛，及其所愛也。」

譯文　孟子說：「梁惠王委實太不仁道了啊！一個仁德的人會把他施加於所愛的人的恩澤推及到他所不愛的人的身上，（相反）一個不仁德人卻會拿他施加於他所不愛的人的禍害連累到他所心愛的人。」

公孫丑聽了，問道：「這話怎麼講呢？」

答道：「梁惠王爲了擴張土地的緣故，把他所不愛的百姓投入戰爭的血海，使他們棄尸原野，肝腦塗地。吃了大敗仗後，又想卷土重來，卻擔心百姓不肯替他賣命，所以不惜驅使他所心愛的子弟上戰場去送死，這便叫作用他施加於他所不愛的人的禍害連累到他所心愛的人。」

原文　孟子曰：「《春秋》無義戰。彼善於此，則有之矣。征者，上伐下也，敵國不相征也。」

譯文　孟子說：「春秋那個時代幾乎沒有合乎義的戰爭。（相對而言）那次戰爭比這次戰爭好一點（的情況），就還是有的。（爲什麼說春秋沒有合乎義的戰爭呢？因爲）征討這個詞，是指上面的天子討伐下面違反王命的諸侯，地位相等的國家是不得互相征伐的。」

原文　孟子曰：「盡信《書》，則不如無《書》。吾於《武成》，取二三策而已矣。仁人無敵於天下，以至仁伐至不仁，而何其血之流杵也？」

譯文　孟子說：「全部相信《書》，就還不如沒有《書》的好。我對於《武成》這篇文章，衹不過采用它兩三段文字罷了。一個仁德的人

在天下是沒有敵手的，以周武王這樣天下極其仁愛的賢君去討伐商紂那樣最不仁愛的暴君，（義師所到的地方，備受百姓的歡迎）又怎麼會發生血流成河，連舂米的大木棒都給漂走的事呢？」

原文 孟子曰：「有人曰，『我善爲陳，我善爲戰。』大罪也。國君好仁，天下無敵焉。南面而征，北夷怨；東面而征，西夷怨，曰：『奚爲後我？』武王之伐殷也，革車三百兩，虎賁三千人。王曰：『無畏！寧爾也，非敵百姓也。』若崩厥角，稽首。征之爲言正也，各欲正己也，焉用戰？」

譯文 孟子說：「有人說，『我善於陳兵列將擺成作戰陣勢，我善於打仗取勝。』這實際是該服刑的大罪過。祇要國君好行仁德，天下就無敵手。（過去商湯大起義師）他討伐南方，北方的狄族便埋怨；他討伐東方，西方的夷族同樣也會埋怨，他們說：『爲什麼把我們放在後面呢？』周武王去討伐殷紂時，派出兵車三百輛，勇士三千人。武王告諭殷商的百姓道：『別害怕！我們是來幫助你們得到安定生活的，不是來跟你們百姓作對的。』百姓們聽了一齊伏在地上把額角碰着地面叩起頭來，頓時像山岳崩塌似地一片階響。征這個字含有正的意思，被暴君壓榨虐待的各國百姓都巴望武王來匡正自己的國家，怎麼還用得着戰爭呢？」

原文 孟子曰：「梓匠、輪輿能與人規矩，不能使人巧。」

譯文 孟子說：「木匠、車工能夠把規矩法度傳授給別人，但卻不能保證別人必然獲得高明熟練的技巧（那是得靠學者自己從不斷的鑽研中去心領神會的）。」

原文 孟子曰：「舜之飯糗茹草也，若將終身焉；及其爲天子也，被袗衣，鼓琴，二女果，若固有之。」

身不行道者以行言之不行者道不行也使人不以道者以事言之不能行者令不行也

譯文 孟子說：「舜當年吃乾糧啃野菜的時候，好像準備一輩子這樣過下去；等到他做了天子，身着細葛布衣服，彈着琴，堯的兩個女兒侍候他，又好像本來他就具有這些生活條件似的（一點異樣的感覺都沒有）。」

原文 **孟子曰：「吾今而後知殺人親之重也：殺人之父，人亦殺其父；殺人之兄，人亦殺其兄。然則非自殺之也，一間耳。」**

譯文 孟子說：「我從今以後才知道殺害別人的親屬關係的重大：一人殺了別人的父親，他的父親也會被人殺；殺了別人的哥哥，他的哥哥也會被人殺害。這樣難道不就等於自己殺死自己的父兄嗎？祇不過中間隔了一個人罷了。」

原文 **孟子曰：「古之爲關也，將以禦暴；今之爲關也，將以爲暴。」**

譯文 孟子說：「古時候設立關卡，是準備用來（稽查奸人出入）防止發生暴亂的；現在設立關卡，卻是準備用來（徵收賦稅）推行暴政的。」

原文 **孟子曰：「身不行道，不行於妻子；使人不以道，不能行於妻子。」**

譯文 孟子說：「一個從政的人如果自己行事都不遵照正道，那麼正道就連在他的妻子、兒女身上也行不通（更談不上要求別人了）；如果他不按道理去役使人，那麼就連他的妻子、兒女也役使不動（更談不上支使別人了）。」

原文 **孟子曰：「周于利者，凶年不能殺；周于德者，邪世不能亂。」**

譯文 孟子說：「平時積蓄財物富足的人，那怕是災荒年歲也不能使他窮困，平時積德厚的人，那怕是亂世也不能使他迷失方向。」

原文　孟子曰：「好名之人能讓千乘之國，苟非其人，簞食豆羹見於色。」

譯文　孟子說：「那些珍惜不朽之名的人，能夠把可出兵車千乘的國家讓給賢人，但是，如果不是那種應該受讓的對象，那怕是讓給一筐飯、一碗湯，他心裏的不滿也會在臉色上表現出來的。」

原文　孟子曰：「不信仁賢，則國空虛；無禮義，則上下亂；無政事，則財用不足。」

譯文　孟子說：「不信任有仁德有才幹的人，國家就會顯得空虛無人；國家沒有禮義來定尊卑地位，上下的關係便要出現一片混亂；沒有好的政治（來保障生產的正常進行，賦稅的合理徵收）國家的財政收支便要感到不足。」

原文　孟子曰：「不仁而得國者，有之矣；不仁而得天下者，未之有也。」

譯文　孟子說：「不行仁德卻能得到一個國家，這樣的事是有的；不行仁德卻能得到整個天下，這樣的事是自古就無的。」

原文　孟子曰：「民爲貴，社稷次之，君爲輕。是故得乎丘民而爲天子，得乎天子爲諸侯，得乎諸侯爲大夫。諸侯危社稷，則變置。犧牲既成，粢盛既潔，祭祀以時，然而旱乾水溢，則變置社稷。」

譯文　孟子說：「（在天下或一個國家裏）百姓是最重要的，其次便是社稷，君主要算較輕的了。所以得到民衆擁護的便可以做天子，得到天子信任的便可以做諸侯，得到諸侯信任的便可以做大夫。諸侯要是危害國家，便得廢掉他改立別的人。要是祭祀用的牲口（指牛、羊、豬）已是肥大合乎標準，盛在祭器中的黍稷也已弄得清清潔潔，祭祀又是按時進行，可是百姓還是逃脫不了要遭受旱災和水災，那就得另外改立土穀之神了。」

本言太王事昆夷雖不能殄絕其愠怒亦不自墜其聲問之美孟子以爲文王之事可以當之尹氏曰言人顧自處如何盡其在我者而已

原文 孟子曰：「聖人，百世之師也，伯夷、柳下惠是也。故聞伯夷之風者，頑夫廉，懦夫有立志；聞柳下惠之風者，薄夫敦，鄙夫寬。奮乎百世之上，百世之下，聞者莫不興起也。非聖人而能若是乎？而況於親炙之者乎？」

譯文 孟子說：「聖人是百代人的老師，伯夷和柳下惠便正是這樣的人。所以在那些聽到伯夷的風格和操守的人當中，即使是貪婪的人也變得廉潔了，懦弱的人也變得意志堅強了；在那些聽到柳下惠的風格和操守的人當中，即使是刻薄成性的人也變得厚道了，胸襟狹隘的人也變得寬宏大度了。他們在百代之前奮發有爲，百代之後，聽到他們事迹的人沒有不爲之感奮振作的。不是聖人能夠做到這樣嗎？更何況對於那些同時代親受他們熏陶的人呢？」

原文 孟子曰：「仁也者，人也。合而言之，道也。」

譯文 孟子說：「『仁』這個字的含義就是『人』，把『仁』和『人』合並起來講，就是道。」

原文 孟子曰：「孔子之去魯，曰，『遲遲吾行也。』去父母國之道也。去齊，接淅而行，去他國之道也。」

譯文 孟子說：「孔子離開魯國時，說：『我們慢慢地走吧。』這是告別祖國（應采取）的態度。離開齊國時，把正在淘的米瀝乾了就走。這是離開別國（所應采取）的態度。」

原文 孟子曰：「君子之厄於陳蔡之間，無上下之交也。」

譯文 孟子說：「孔子在陳蔡之間被圍困了，以致挨餓，就由於（陳蔡的君臣都壞）孔子和他們上下都沒有交往的原因。」

原文 貉稽曰：「稽大不理於口。」

原文 孟子曰：「無傷也。士憎茲多口。《詩》云：『憂心悄悄，慍於群小。』孔子也。『肆不殄厥慍，亦不

殞厥問。』文王也。」

譯文 貉稽說：「我現在大地被人們所譏諷。」

孟子說：「這沒啥關係。（本來）士人最討厭這種多嘴多舌。《詩經》裏說：『我滿懷憂心沉甸甸，得罪宵小一大串。』孔子的遭遇便正是這樣。《詩經》又說：『今雖不能消除別人的怨恨，但也不會貶損自己的聲名。』說的就是周文王。」

原文 **孟子曰：「賢者以其昭昭使人昭昭，今以其昏昏使人昭昭。」**

譯文 孟子說：「賢明的人教人，憑着自己的透徹明了，幫助別人也透徹明了；現在那些教人的人，就憑自己糊裏糊塗的頭腦，卻要讓別人透徹明了。」

原文 **孟子謂高子曰：「山徑之蹊間，介然用之而成路；爲間不用，則茅塞之矣。今茅塞子之心矣。」**

譯文 孟子對高子說：「山坡上那些野獸走過的地方，如果人們持續地在上面走着因而便成了路；衹要隔一會兒不去走，茅草就會將它堵塞。現在你的心也給茅草堵塞了。」

原文 **高子曰：「禹之聲尚文王之聲。」**

孟子曰：「何以言之？」

曰：「以追蠡。」

曰：「是奚足哉？城門之軌，兩馬之力與？」

譯文 高子說：「禹的音樂超過文王的音樂。」

孟子說：「爲什麼這樣講呢？」

高子答道：「就因爲禹傳下來的鐘鈕像蟲咬得快要斷了一般。」

孟子說：「這又何足爲證呢？城門車輪駛過的轍迹那樣深，難道是兩匹拉車的馬的力量嗎？（這是由於天長日久車馬經過多的原因。同樣，禹的鐘鈕快要斷了，也是因爲天長日久的關係啊）。」

程子曰：五者之欲，性也，然有分，不能皆如其願，則是命也，不可謂我性之所有而求必得之也。

原文 齊飢。陳臻曰：「國人皆以夫子將復爲發棠，殆不可復。」

孟子曰：「是爲馮婦也。晉人有馮婦者，善搏虎，卒爲善士。則之野，有眾逐虎。虎負嵎，莫之敢攖。望見馮婦，趨而迎之。馮婦攘臂下車，眾皆悅之，其爲士者笑之。」

譯文 齊國鬧饑荒。陳臻說：「國裏的人都以爲老師您又會替大家請求齊王打開棠鄉的倉庫來賑濟百姓，恐怕不便再這樣做了吧。」

孟子說：「（如果再這麼做）這就成了馮婦了。晉國有個名叫馮婦的人，善於打老虎，後來成了善士（便放棄了打虎）。有次他到野外去，碰上大伙追趕一隻老虎，老虎背靠着山角（進行頑抗），沒有誰敢去碰它一下。大家遠遠望見了馮婦，便一齊跑上去迎接他。馮婦挽起袖子，揮舞胳膊走下車來。大伙都喜歡他，可那些士人卻嘲笑他。」

原文 孟子曰：「口之於味也，目之於色也，耳之於聲也，鼻之於臭也，四肢之於安佚也，性也，有命焉，君子不謂性也。仁之於父子也，義之於君臣也，禮之於賓主也，知之於賢者也，聖人之於天道也，命也，有性焉，君子不謂命也。」

譯文 孟子說：「口喜歡美味，眼睛喜歡美色，耳朵喜歡好聽的聲音，鼻子喜歡芳香的氣味，四肢喜歡舒適，都是天性的嗜好；可是（能否都稱心如意地得到它們）這中間又有個命運好壞的問題，所以君子就不認爲它們是性情所定（不加強求）。仁對於父子，義對於君臣，禮對於賓主，知對於賢者，聖人對於天道，它們能否一一各得其宜，這是屬於命運的問題，但卻又是性情所定，所以君子不把它們看成是命運的安排（以便盡力而爲，希望性情所定的東西都能見諸實行）。」

原文 浩生不害問曰：「樂正子何人也？」

孟子曰：「善人也，信人也。」

「何謂善？何謂信？」

曰：「可欲之謂善，有諸己之謂信，充實之謂美，充實而有光輝之謂大，大而化之之謂聖，聖而不可知之之謂神。樂正子，二之中、四之下也。」

譯文 浩生不害問道：「樂正子是個什麼樣的人？」

孟子說：「樂正子是個好人，是個實實在在的人。」

「何謂好？何謂實實在在？」

答道：「一個人使人覺得他可愛便叫作好；他自己的確有那些值得人愛的優點便叫作實實在在；那些優點確乎充實於他本身便叫作『美』；不止是充實，而且表現出光輝燦爛便叫作『大』；不但是大，而且融化爲一體，找不出使它大的痕迹，便叫作『聖』；聖人德廣，以至到了神妙不可測度的境界，便叫作『神』。樂正子正是處在好和實實

書香傳家

隋煬帝剪彩爲花

諸侯、君王的權勢需要人民來支持，但是諸侯、君王往往只顧享樂，不顧人民的死活。隋煬帝尤甚，他殺父兄篡位，當權後又暴虐無道，對民眾橫征暴斂。冬日剪彩紙貼樹，作爲花朵，窮奢極欲，故而各地民眾紛紛起義，而隋煬帝自己也被臣子殺害。

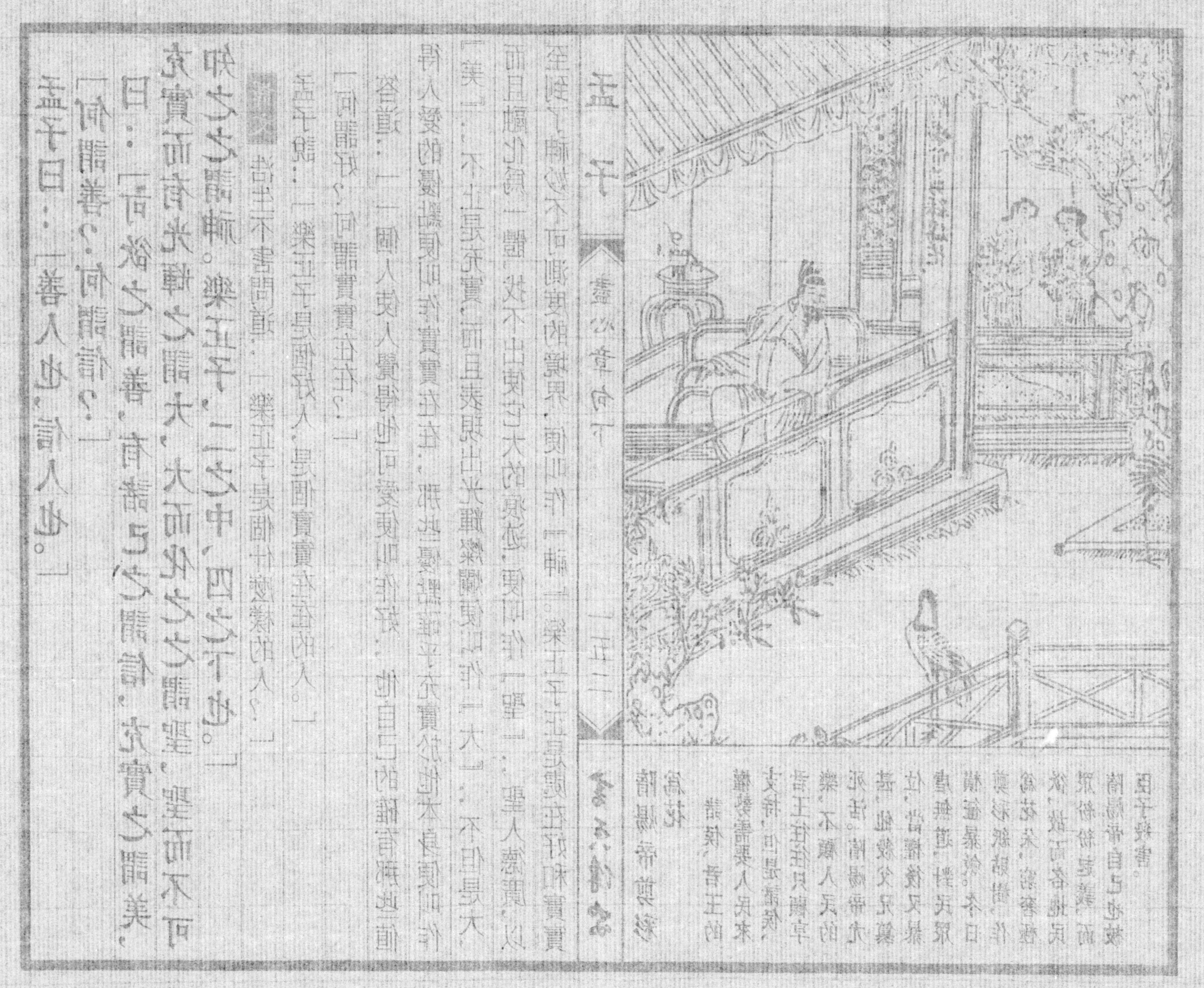

在在二者之間和『美』『大』『聖』『神』四者的下面。」

原文　孟子曰：「逃墨必歸於楊，逃楊必歸於儒。歸，斯受之而已矣。今之與楊、墨辯者，如追放豚，既入其苙，又從而招之。」

譯文　孟子說：「脫離墨子一派的人一定會歸到楊朱那一派去，脫離楊朱一派的人一定會歸到儒家學派這邊。既然歸到這邊了，就接受他算了。現在那些跟楊、墨兩派展開論爭的人，就像是追回丟掉了的豬一樣，已經趕進豬圈裏了，還要用繩子絆住它們的腳（以免再走失，這似乎太過分了點）。」

原文　孟子曰：「有布縷之征，粟米之征，力役之征。君子用其一，緩其二。用其二而民有殍，用其三而父子離。」

譯文　孟子說：「（國家賦役的種類）有徵收布帛的，有徵收糧食的，還有徵發人力的。君子（對於這三種賦役，分期更換使用）使用一種，其他兩種便暫緩使用。如果兩種賦役同時使用，百姓便會有因此而餓死的，假如三種賦役同時使用，那（天下就要禮崩樂壞）父親和兒子這樣的至親骨肉之間，彼此也將各不能相顧了。」

原文　孟子曰：「諸侯之寶三：土地、人民、政事。寶珠玉者，殃必及身。」

譯文　孟子說：「諸侯的寶貝有三件：土地、百姓、政治。（不重視上面三件寶貝）卻把珍珠美玉看作寶貝的人，禍災就一定會降到他身上。」

原文　盆成括仕於齊，孟子曰：「死矣盆成括！」盆成括見殺，門人問曰：「夫子何以知其將見殺？」

曰：「其爲人也小有才，未聞君子之大道也，則足

以殺其軀而已矣。」

譯文 盆成括在齊國做官，孟子知道後說：「盆成括要死了啊！」後來盆成括眞的被殺，學生問道：「老師您怎麼知道他會被殺？」答道：「他的爲人有點兒小聰明，但不懂君子的大道，那就足以禍害他自身了。」

原文 **孟子之滕，館於上宮。有業屨於牖上，館人求之弗得。或問之曰：「若是乎從者之廋也？」**

曰：「子以是爲竊屨來與？」

曰：「殆非也。夫子之設科也，往者不拒，來者不拒。苟以是心至，斯受之而已矣。」

譯文 孟子到滕國，住在上宮。有一雙還沒有織完的草鞋擱在窗子上，客館的人遍處尋找沒有找到。有的人便問孟子道：「跟隨您的人怎麼這樣隨便把人家的東西藏起來呢？」

孟子反問道：「你以爲這些人是爲偷草鞋才來的嗎？」

答道：「大約不是吧。不過，您開館設置課程，接受學生，離去的並不追問，進來的也不拒絕。祇要他們眞的是抱着這種向學的心而來，這就祇有把他們接受下來（當然就難保沒有染上壞習氣的人混進來）。」

原文 **孟子曰：「人皆有所不忍，達之於其所忍，仁也；人皆有所不爲，達之於其所爲，義也。人能充無欲害人之心，而仁不可勝用也；人能充無穿踰之心，而義不可勝用也；人能充無受爾汝之實，無所往而不爲義也。士未可以言而言，是以言餂之也；可以言而不言，是以不言餂之也。是皆穿踰之類也。」**

譯文 孟子說：「每個人都有他所不忍心做的事，祇要他能將它擴充到他所忍心做的事上，（因而停止再做他所忍心做的事）便是仁；

每個人都有他所不願做的事，祇要他能將它擴充到他所願做的事上，（因而停止再做他所願做的事）就是義。（也就是說）祇要人們能夠擴充他那種不願害人的心，那麼他的仁便用不盡了；祇要人們能夠擴充那種不挖洞跳牆（也即是盜竊）的心，那麼他的義便用不盡了。祇要人們能夠擴充那種不受輕蔑的實際言行，那麼他就不管到哪裏都再沒有不合於義的了。對於一個士人本來不可以跟他攀談卻故意去攀談，這就是用言語去誘惑他而自己便於從中取利；可以跟他攀談卻故意不去攀談，這就是用沉默去誘惑他而自己便於從中取利，這些都是屬於挖洞跳牆一類的行爲。」

原文

孟子曰：「言近而指遠者，善言也；守約而施博者，善道也。君子之言也，不下帶而道存焉；君子之守，修其身而天下平。人病舍其田而芸人之田，所求於人者重，而所以自任者輕。」

施去聲古人視不下於帶則帶之上乃目前常見至近之處也舉目前之近事而至理存焉所以爲言近而指遠也

譯文

孟子說：「說的是近事而指的卻是深遠的道理，這可說是很好的語言；所操持的極其簡要而德澤影響卻非常廣，這可以說是很好的方法。君子所說的，雖祇是正心的事，可是治國平天下的大道理卻就在這中間；君子所操持的，雖祇是修身的事，卻能使天下都得到太平。普通人的毛病就在於放下自己的田不耕，卻去耕耘別人的田——責求於別人的很苛重，而拿來挑在自己肩上的擔子卻很輕。」

原文

孟子曰：「堯舜，性者也；湯武，反之也。動容周旋中禮者，盛德之至也。哭死而哀，非爲生者也。經德不回，非以干祿也。言語必信，非以正行也。君子行法，以俟命而已矣。」

譯文

孟子說：「堯舜的仁德，祇是按他們的本性行事；湯武的仁德，卻是經過修身力行，然後回復到天然的本性的。動作容貌細微曲折沒有不自然合於禮的，這是前代聖賢的美德登峰造極的表現。痛傷

死者而哭得悲哀，（純屬出於至情）不是爲了做給生者看的。按照道德行事，不搞歪門邪道，並不是想以此求得個一官半職。說話一定守信用，也不是爲了要博取一個方正的名聲。君子（沒有別的）衹不過是行爲遵循法度，以等待命運的安排罷了。」

原文 **孟子曰：「說大人，則藐之，勿視其巍巍然。堂高數仞，榱題數尺，我得志，弗爲也。食前方丈，侍妾數百人，我得志，弗爲也。般樂飲酒，驅騁田獵，後車千乘，我得志，弗爲也。在彼者，皆我所不爲也；在我者，皆古之制也，吾何畏彼哉？」**

譯文 孟子說：「凡是向達官貴人進言的，就先要輕視他們，別把他們一時的顯赫看得了不起。他們的殿堂階基幾丈高，屋檐幾尺寬，我得了志，就不會這樣做。他們吃飯時，好菜好酒擺滿了前面方丈寬的地方，侍候兩旁的姬妾多達幾百人，我得了志，就不會這樣做。他們天天

飲酒作樂，跑馬打獵，一千多輛車子跟在屁股後面跑，我得了志，就不會這樣做。凡是他們的那些腐化享樂的事，都是我所不做的；凡是我所做的，都能合乎古代制度的規定，我爲什麼要畏懼他們呢？」

原文 **孟子曰：「養心莫善於寡欲。其爲人也寡欲，雖有不存焉者，寡矣；其爲人也多欲，雖有存焉者，寡矣。」**

譯文 孟子說：「養心的方法沒有比儘量減少物質欲望更好了。那些平素物質欲望少的人中間，儘管也有失去本心（也卽天生的善性）的，但是爲數卻很少；那些平素物質欲望多的人中間，儘管也有能保存他的本心的，但是爲數也很少。」

原文 **曾皙嗜羊棗，而曾子不忍食羊棗。公孫丑問曰：「膾炙與羊棗孰美？」**

孟子曰：「膾炙哉！」

公孫丑曰：「然則曾子何爲食膾炙而不食羊棗？」

曰：「膾炙所同也，羊棗所獨也。諱名不諱姓，姓所同也，名所獨也。」

譯文　從前曾皙非常喜愛吃羊棗，因而曾子不忍吃羊棗。公孫丑問道：「細切熟肉跟羊棗哪一種更好吃？」

孟子答道：「當然是細切熟肉嘛！」

公孫丑說：「那麼，曾子爲啥吃細切熟肉卻不吃羊棗呢？」

孟子答道：「細切熟肉是人們都愛吃的，羊棗卻是（曾皙）單獨愛吃的。這跟人們對於父母君上避名不避姓是一樣的，因爲姓是大家共同的，而名卻是父母君上所獨有的。」

原文　萬章問曰：「孔子在陳，曰：『盍歸乎來！吾黨之士狂簡，進取，不忘其初。』孔子在陳，何思魯之狂士？」

孟子曰：「孔子『不得中道而與之，必也狂狷乎！狂者進取，狷者有所不爲也。』孔子豈不欲中道哉？不可必得，故思其次也。」

「敢問何如斯可謂狂矣？」

曰：「如琴張、曾皙、牧皮者，孔子之所謂狂矣。」

「何以謂之狂也？」

曰：「其志嘐嘐然，曰：『古之人，古之人！』夷考其行，而不掩焉者也。狂者又不可得，欲得不屑不潔之士而與之，是狷也，是又其次也。孔子曰：『過我門而不入我室，我不憾焉者，其惟鄉原乎！鄉原，德之賊也。』」

譯文　萬章問道：「孔子在陳國時說：『爲什麼不歸去呢！我們鄉裏的學生們不喜歡按照常規行事，志向大口氣也就大，一直沒有

改變他們的老脾氣。』孔子在陳國，爲什麽要念叨着魯國那些狂放之士呢？」

孟子說：「孔子說過『得不到不偏不倚合於中行的人而加以獎掖鼓勵，如果一定要獎掖鼓勵一些人，那就祇有狂放之士和狷介之士啊！狂放的人富有進取心，狷介之士有所不爲』。孔子難道不想得到不偏不倚合於中行的人嗎？但不一定能得到，所以就祇好想到次一等的人了。

「請問怎樣的人才可被稱作狂放之士呢？」

答道：「像琴張、曾皙、牧皮這一類人，就是孔子所稱的狂放之士。」

「爲什麽說他們是狂放之士呢？」

答道：「他們表現出志向大口氣也大的樣子，口裏常是這樣嚷着：『古代的人，古代的人。』但考察起他們的行爲來，便不能和他們的語言密合無間。狂放之士又不易得到，（孔子）便想找到那些不屑幹骯髒事的人而加以獎掖鼓勵，這就是狷介之士，這又是（較狂放之士）次一等的人。孔子說：『經過我的門口，卻不進我的屋，而我不感到遺憾的，那恐怕祇有那些虛僞透頂的人吧！那些僞善的人，是損害道德的大害蟲。』」

原文 曰：「何如斯可謂之鄉原矣？」

曰：「何以是嘐嘐也？言不顧行，行不顧言，則曰：『古之人，古之人。』『行何爲踽踽涼涼？生斯世也，爲斯世也，善斯可矣。』閹然媚於世也者，是鄉原也。」

萬章曰：「一鄉皆稱原人焉，無所往而不爲原人，孔子以爲德之賊，何哉？」

曰：「非之無舉也，刺之無刺也；同乎流俗，合乎污世，居之似忠信，行之似廉潔，眾皆悅之，自以爲

世衰道微，大經不正，故人人得爲異說以濟其私，而邪慝並起，不可勝正。君子於此，亦復其常道而已。常道既復，則民興於善，而是非明白，無所互，雖有邪慝，不足以惑之矣。

是，而不可與入堯舜之道，故曰『德之賊也』。孔子曰：「惡似而非者：惡莠，恐其亂苗也；惡佞，恐其亂義也；惡利口，恐其亂信也；惡鄭聲，恐其亂樂也；惡紫，恐其亂朱也；惡鄉原，恐其亂德也。君子反經而已矣。經正，則庶民興；庶民興，斯無邪慝矣。」

譯文

問道：「怎樣的人才叫作欺世盜名之輩呢？」

答道：「那些欺世盜名之輩譏諷狂放之士和狷介之士說：『幹嘛要這樣志向高口氣大呢？說的不管做的，做的不符合說的，光是叫嚷古代的人呀，古代的人呀。（你們這些狷介的人）爲什麼把自己弄得這樣孤單冷落呢？生在這個世界上，替這個世界上的人做事，混得差不多就可以嘛。』沒有靈魂，裝出一副討好相，好讓世上的人都喜歡他，這種人就是所謂好好先生。」

萬章說：「全鄉的人都稱他是好人，他無論到什麼地方去都表現爲是個好人，孔子卻認爲他是損害道德的大害蟲，這是什麼緣故呢？」

答道：「這種人，你要指責他又舉不出他什麼太大的過錯，你要譏諷他又像沒有什麼可譏諷的；這種人同流合污，平常與人相處好像忠厚老實，做起事來也好像廉潔方正，大家都喜歡他，他自己也沾沾自喜，覺得自己不錯，但是與堯舜之道卻是格格不入的，所以說是『損害道德的大害蟲。』孔子說，最討厭的是那些外表相似實際卻完全是兩碼事的東西：厭惡那些似苗非苗的狗尾草，爲的是怕它混淆了禾苗；討厭那些有歪才似義非義的人，爲的是怕他們混淆了義；厭惡那些能說會道似信非信的人，爲的是怕他們混淆了信實；厭惡那些聲音復沓過分悅耳的樂曲，爲的是怕它混淆了雅樂；厭惡那些似朱非朱的紫色，爲的是怕它混淆了紅色；討厭那些似有德非有德的僞善的人，爲的是怕他們混淆了道德。所要求於君子的衹不過是回到常道上來罷了。常

道擺正了位置，百姓們便會積極奮發起來；百姓們積極奮發起來了，就不會有邪惡的事了。」

原文 孟子曰：「由堯舜至於湯，五百有餘歲；若禹、皋陶，則見而知之；若湯，則聞而知之。由湯至於文王，五百有餘歲，若伊尹、萊朱，則見而知之；若文王，則聞而知之。由文王至於孔子，五百有餘歲，若太公望、散宜生，則見而知之；若孔子，則聞而知之。由孔子而來至於今，百有餘歲，去聖人之世若此其未遠也，近聖人之居若此其甚也，然而無有乎爾，則亦無有乎爾。」

譯文 孟子說：「從堯舜到商湯，共經過了五百多年；像禹和皋陶等人，是親自看見因而才知道堯舜治天下之道的；像商湯，便是經過傳聞才知道堯舜治天下之道的。從商湯到文王，也是經過了五百多年，像伊尹、萊朱等人，是親眼看見並輔助推行的；像文王，便是聽到便遵照推行的。從文王到孔子，又大約過了五百多年，像太公望、散宜生等人，是親自看見因而知道文王治天下之道的，像孔子，便是經過傳聞才知道文王治天下之道的。自孔子以來到今天，衹一百多年，離開聖人的時代是這樣的不遠，距離聖人的故鄉又是如此的近，可是還沒有繼承的人，那麼以後也就沒有繼承的人了（這是不能不使人爲之擔憂的事）。」

書香傳家系列叢書簡介

經

《詩經》

「關關雎鳩，在河之洲。窈窕淑女，君子好逑」描繪了人世間最真摯的愛情；「碩鼠碩鼠，無食我黍」表達了對不勞而獲的剝削者最深刻的厭惡；「知我者謂我心憂，不知我者謂我何求」抒發了對國家興亡最深切的憂慮。這些我們耳熟能詳的詩句，都出自《詩經》。《詩經》位居儒家「五經」之列，其文學價值是無需多言的。作爲中國史上第一部詩歌總集，它的內容極爲宏大豐富，刻畫了淳樸的風俗，讚揚了英勇的戰士，歌頌了神聖的祖先，記述了真實的歷史。這裏有懇切的批評，又有委婉的諷喻；有樸實的話語，又有華美的辭章；有直率的表達，又有微妙的思緒。孔子說：「不學《詩》，無以言」，這些璀璨的詩句依然是中國人今天抒發情感時無法超越的形式，它們朗朗上口、雋永豐沛。在幾千年後的今天，讓我們依舊能與華夏先民呼吸相聞，感受一種跨越千年的浪漫。「腹有《詩》《書》氣自華」，祇有讀了《詩經》，纔知道什麼是文明而化。

《周易》

《周易》可以說是中國古老經典中的經典，它的作者據說是周文王姬昌，其在伏羲八卦基礎上推演而成，後來又經過孔子的修訂，直到現在，已有三千多年的歷史。很多人都認爲《周易》是一部用來占卜算命的書，這確實僅是它的功能之一，在生產力落後的前科學時代，它相當於一個簡單的搜索引擎，凡有疑難之事，都可以通過《周易》的指引，找到解決的辦法。但是，到了科學昌明的今天，《周易》的義理依然不朽，祇是其占卜算命功能已經大大地被弱化。它真正吸引人們的是它對歷史、民俗、文學、哲學、政治、中醫藥學等各個領域的兼容與覆蓋，可以說，《周易》通過陰陽、性象的變化來闡述生命的學問、宇宙的真理、智慧的源泉、社會的規律，用卦爻符號和爻辭，構成了一個神秘的文化殿堂，描述了中華古人對於宇宙奧秘和生命密碼的獨特認識，這也是我們今天讀《周易》的意義所在，它能夠讓我們透過紛繁複雜的表面，直接看透背後的本質。

《論語》

假設孔子讓班長子路建立一個班級群，把曾子、顏淵、子夏、子貢等人都拉進去，大家不但可以在群裏直接討論問題，還可以在彼此的朋友圈互相評論。於是有人選取了聽課中最有用、有趣、有意義的內容，整理成一本書，就叫《論語》。孔子感嘆「沒人瞭解我」，卻告訴學生「別怕沒人瞭解你，祇怕自己沒本事」。他的一生是充滿失意和詩意的，他的思想主張不被當世爲政者所接受，但他「一以貫之」「不怨天，不尤人」「下學而上達」，以文化傳承爲使命，開私學之先河，創立了儒家學派。孔子自稱「述而不作」，祇講課不創作，他編的六種教科書，主要材料也來自古代文獻，被稱爲「六經」。所以，記錄孔子言行的《論語》，反倒保存了原汁原味的孔子學說。《論語》中的孔子，不祇是莊嚴的至聖先師，更是一個有喜怒哀樂情感的教書先生。他會誇勤奮、聰明的學生，會罵懶惰、頑固的弟子，高興了會唱歌，傷心了會哭泣。閱讀《論語》，可以從中獲得思想的啟迪、人格的提升、情感的激勵，以及文學的享受，它是每一位中國人的必讀之書。

《孟子》

說起儒家思想，必定繞不開「孔孟之道」。這裏的「孟」，就是被尊爲「亞聖」的孟子。與一般「溫良恭儉讓」的儒生形象不同，孟子留給人們的印象更多是剛毅、自信和執著，這些特質在他和弟子所著的《孟子》中都得到了展現。《孟子》在南宋後被作爲「四書」之一。讀起來很好玩，因爲里面大部分都是小故事、小對話，而書中孟子的形象也非常鮮明、立體，就像是生活在我們身邊的一位倔強、驕傲而善辯的小老頭。很多時候，他會玩兒一些「套路」，讓談話對象掉入自己事先挖好的「坑」裏，最後逼得對方祇能「顧左右而言他」，他還會通過裝病來表達自己的不滿，就像個跟人賭氣的孩子一樣。當然，我們讀《孟子》的意義絕對不止於此，它之所以過了兩千多年仍被奉爲經典，是因爲孟子對「修身、齊家、治國、平天下」進行了透徹的闡述，讓我們在讀過之後能夠擁有強大的內心，能夠有所爲有所不爲，能夠有所捨有所得，這不僅對每個人的生活和工作有著重要的指導意義，對於我們弘揚優秀傳統文化、實現國家的文化自信也大有裨益。

《山海經》

有一種草可以治療抑鬱，有一種魚吃了就不再畏懼打雷，有一種樹見到就不會迷路，有一種獸甚至可以吃掉龍，它們都是什麼呢？這是一部記載了「五方之山」「八方之海」「珍寶奇物」的古代實用地理書。該書刻畫了「鯀禹治水」「女媧造人」「夸父逐日」的神話故事，也有對於顓頊和黃帝的很多記述，被稱爲「古之語怪之祖」。在魯迅筆下，這是阿長心心念念送他的禮物，其中包含上古時期的地理、歷史、神話、天文、動物、植物、醫學、宗教以及人類學、民族學、海洋學和科技史等知識。在紀曉嵐編纂的《四庫全書總目提要》中，它是地理書的首要，還被稱之爲最古的小說。它甚至是一些誌怪和盜墓小說中怪事、怪物的總來源、總發端，「紅毛犼」「錦鱗蚺」甚至「痋術」等，已經是年輕人熟悉的神獸。這就是《山海經》，一部誕生於遠古時期、極富想象力的驚世駭俗之作。它的奇詭玄妙，使今天的年輕人腦洞大開，啟發人們體悟天、地、人、神、獸、怪的無窮奧秘。讀《山海經》，去探尋遠古時期影響思想觀念的洪荒之力，去求索華夏五千年文明的初心與神秘。

《史記精華》

《留侯世家》記載，破落貴族張良偶遇圯橋老人，得到《太公兵法》，學成後輔佐劉邦，「爲王者師」。他與眾將談論《太公兵法》，沒人聽得懂；劉邦聽了，卻能善用其策。張良說：「大概沛公是上天授命之人啊！」《史記》既是史書，又是一部政論集。政論家寫文章大多引經據典，司馬遷著《史記》是用更完備的史料論證自己的觀點。所以說司馬遷的偉大，不衹是記載了黃帝至漢初的歷史，而是在於他「究天人之際，通古今之變，成一家之言」。這「一家之言」，說的就是他的人生觀、歷史觀、宇宙觀。他信命而不認命，自強不息，具有悲天憫人的情懷。所以他借「圯橋進履」的傳說，證明劉邦是真命天子，卻又敢於對劉邦等得天命者犯下的錯誤提出批評，對懷才不遇、蒙受冤屈的人則報以同情。《史記》全書一百三十篇，五十二萬餘字，《史記精華》從中擷萃名篇，既不辜負太史公的良苦用心，又能讓今人感受輕鬆愉悅的閱讀體驗，從歷史的興亡中體悟天道與人事，品味「無韻之離騷」。

《資治通鑒精華》

孟子說：「孔子成《春秋》而亂臣賊子懼。」《春秋》大義，被歷代史家奉爲法則。唐末五代，藩鎮割據，天下大亂，人心不安。在那個兵強馬壯者就能當皇帝的時代，誰會在乎倫理與秩序？整個社會都迷失了方向。北宋建立後，結束了國家分裂的局面，人心思定，所以史家想要借《春秋》大義重建社會價值體系。先有歐陽修的《新五代史》，後有司馬光的《資治通鑒》。一部《資治通鑒》，二百九十四卷，三百多萬字，以編年體的形式展現了戰國至五代時期一千三百餘年的歷史。若你無暇通讀全書，又想有所涉獵，卻無從下手，《資治通鑒精華》就是爲你指點迷津、得以一窺這部史學巨著之端倪的捷徑。因爲本書所選篇目緊扣原典的主旨，以治亂興衰爲借鑒，以大義名分爲原則，涵蓋了歷代的主要大事件。在這個日新月異、信息爆炸的變革時代，你有沒有迷失方向？不妨嘗試從歷史中探尋安身立命之道。閱讀本書，上可以參悟人生、明白得失，中可以洞悉人心、增長閱歷，下可以充實學識、增加談資。

子

《六韜·三略》

很多人一提起「兵法」，首先想到的往往是《孫子兵法》《三十六計》，卻不知道《六韜·三略》絲毫不遜於前兩者。嚴格說來，《六韜》《三略》是兩本書。《六韜》作者是被譽爲「兵家之祖」的呂尚，也就是大名鼎鼎的姜子牙。《三略》的作者則是「張良拾履」故事裏的那位神秘老人黃石公。自古以來，《六韜·三略》就被譽爲「兵家權謀之祖」，姜子牙靠它輔佐武王興周滅紂，張亮靠它幫助劉邦定咸陽、滅項羽，建立西漢王朝。有人說《六韜·三略》這樣的兵法衹適合在古代使用，這是大錯特錯的。因爲即使到了今天，也仍然有很多企業管理者把《六韜·三略》奉爲經典，並將它用於商業競爭、企業管理。雖然這是一本兵書，但它卻可以讓人擁有細緻的邏輯思維能力，學會如何從全局進行運籌和謀劃，學會如何鑒別和使用人才。就算是普通人，也可以在讀通《六韜·三略》之後，在自己的生活和工作中找準方向，實現最大的價值。

《孫子兵法》

在中外歷史上，有多少戰績輝煌的名將，隨著時間的推移，全都逐漸被遺忘了，但被稱爲「東方兵學鼻祖」的孫子以及他的《孫子兵法》，不僅沒有被忘卻，反而越發引起了人們的重視和崇敬。

《孫子兵法》自誕生至今已有兩千多年，在古代，它被廣泛地應用於戰爭，包括戰略戰術的制定、情報的搜集、戰區的選擇、攻防的轉換、作戰時機的選擇等；到了以「和平」爲主旋律的今天，全世界範圍內，《孫子兵法》都產生了極爲重要和廣泛的影響力。除了繼續在軍事、政治、外交等方面發揮重要作用和影響之外，《孫子兵法》還廣泛用於經濟、教育、商業、體育等各個領域，哈佛大學商學院甚至要求學生記誦《孫子兵法》的某些章節，以備日後經商之用。對我們普通人而言，通過《孫子兵法》來瞭解孫子的軍事思想，然後將其靈活轉化、應用，也足以給我們的學習、工作、生活帶來巨大的幫助。

《道德經》

春秋末年，天下戰爭頻仍，周朝守藏室之史老子棄官歸隱，騎青牛來到函谷關。官令尹喜求其寫下五千言，隨後西行，不知所蹤。《道德經》含有深刻的東方哲學思想，至今仍是人們認知宇宙與人生的經典，也被稱爲「玄而又玄」的學問。老子並非首倡尋找萬物總規律的人，從伏羲氏就認爲宇宙的一切總有一個根源，他沒有辦法用文字來說明，所以一畫開天，叫做「象」。那麼，把握規律就稱爲「執象」。由於執象依然有迷茫，於是纔有老子破象而立道。但是，「道」究竟是什麼？老子說：「道可道，非常道。」他認爲衹有「致虛極，守靜篤」，「清靜無爲」纔能顛覆性地掌握變化中的規律。現在人類的物質文明已獲得了高度發展，但是人類並沒有獲得幸福感，人類執迷於「有」，一再忽視老子的提醒「有生於無」。《道德經》於今人依然是最爲實用的經典，它可以重新梳理外在所有因素的趨勢，可以重新建立整體行動的框架，可以從身體的修真來鏈接萬物，由此來突圍今天人類的多重困境。

《鬼谷子》

他隱於世外，卻操縱天下格局；他的弟子出將入相，左右著列國的存亡，推動著歷史的走向。這個人因此被尊爲「謀聖」，他就是鬼谷子。鬼谷子其人，神秘莫測，關於他的身世，衆說紛紜。相傳他隱居在雲夢山鬼谷，所以自稱鬼谷先生。他門下弟子孫臏、龐涓，都是用兵打仗的能手；另外兩個弟子蘇秦、張儀，憑三寸之舌推行合縱連横之術，收到的奇效抵得上千軍萬馬。這樣的奇人留下的一本奇書——《鬼谷子》。該書原文衹有五千多字，卻是縱横家流傳至今爲數不多的代表著作之一，論述縱横捭闔的秘訣。比如其中「欲取先予」的處世哲學，擴散開來就包含了很多個維度：從戰場上臨强示弱、扮豬喫老虎，到營銷上滿減贈送的優惠項目，再到投資領域的賭徒心理，都跟這四個字分不開。如果衹是把《鬼谷子》當成運用謀略、揣摩人心的教科書，就低估了其價值。書中還包括軍事、政治方面的知識，甚至還有養生的學問。《鬼谷子》包羅萬象，是先秦諸子學中的一顆璀璨明星。

《莊子》

莊子貌似窮困潦倒，但是他卻因精神超拔而早已名聲在外。楚威王曾派人來聘請他做官，衹見他正坐在河邊悠然垂釣。莊子卻指著水裏搖著尾巴游泳的烏龜，對使者說：「與其做一隻被宰殺後供奉起來的神龜，不如像它一樣自由自在。」莊子是戰國時期道家學派的代表人物，繼承了老子「無爲」的哲學思想，並且在宇宙觀、社會德用和養生氣論上均有推進。他所認爲的自由，是無所憑依的，是順其自然的。正如鯤鵬變化，扶摇直上九萬里，這纔是逍遥的境界。莊子又借小蟲、小鳥之口嘲笑大鵬，反映了淺陋之人難以領悟大道的真諦。然而大鵬畢竟要御風而行，相比之下，無所憑依的風纔是絕對自由的象徵。在別人眼中，窮困潦倒是苦，莊子卻以不受名利的牽累爲樂。如果我們在工作和生活中遇到了一時過不去的坎兒，不妨用《莊子》化解内心的困頓與焦慮，用「忘我」乃至「無我」的大智慧，用遨遊天際的視野，面對現實的世界。

《世說新語》

年輕人必定向往「惟大英雄能本色，是真名士自風流」的生活，所以他們不會錯過一本被魯迅先生稱爲「名士教科書」，被今人叫作「名人酷生活實錄」的精選集。這本書記載了東漢末年到魏晉期間一批名士的言行。何爲名士？泛指知名人士，特指恃才自傲、不拘小節的牛人。因爲學者們的集體喜愛，特向國家教育管理機構推薦該書，進入中小學生的必讀書目。它就是《世說新語》。

沉浸書中，我們將置身於一個比現在更重視「顏值」的時代，領略魏晉名士們如何「一生不羈放縱愛自由」；嵇康、阮籍、劉伶們敏捷的才思、優雅的舉止、曠達的胸懷，甚至種種狂放怪異的言行，無不彰顯著自然率真的性情，彰顯著處於青年時代的中華文明那昂揚湧動著的生命力。我們可以品味到它的語言之美、生活之美、哲思之美，更能夠從中找尋到自己内心未被喚醒的詩意與對現實的超越。

《千字文》

《千字文》是一篇奇文，其問世充滿了傳奇色彩。梁武帝喜歡王羲之的書法，就命人從王羲之的真跡中找出一千個不同的字來教子孫識字、練字，卻因雜亂難記，而沒有取得太好的效果。梁武帝就找來員外散騎侍郎周興嗣，讓他將這些字編成一篇通俗易懂的文章。周興嗣花了一整夜時間，編撰出一篇條理清晰、引經據典的韻文，不但文采超然，而且上至天文，下及地理，中曉人和，將各種知識熔爲一爐，實爲一部生動的小百科全書。周興嗣也因用腦過度，導致一夜之間鬚髮皆白。由於漢字簡化、異體字合併，所以現在《千字文》並不是一千個不同的漢字了。儘管如此，也無損其文采。作爲傳統啟蒙讀物，《千字文》的影響力延續至今。胡適從五歲開始念「天地玄黃，宇宙洪荒」，直到他當了十年教授，還在回味這兩句話，可見《千字文》義理之妙。我們可以從中感悟中國古老的宇宙觀，體會古人修身的規範和原則，讚歎燦爛的歷史文明，在恬淡的心境中安然自處。

《百家姓》

說起姓氏，人們熟悉的是成書於北宋初年的《百家姓》，它是我國流行時間最長、應用範圍最廣的蒙學教材之一，與《三字經》《千字文》並稱爲「三百千」。雖然《百家姓》的內容沒有文理，但讀起來朗朗上口，易學易記，可以讓孩子認識漢字，也可以指導孩子們的日常生活，建立好的生活習慣。慎終追遠，姓氏可以讓孩子們瞭解祖先的血脈延續，積累和傳承家族文化。從遺傳基因學上形成華夏民族的血脈相連與共同認知。光宗耀祖，詩書繼世，是中國農耕社會的優良傳統。姓氏文化在中國五千年多年的文明史中擔當重任，戰國時期的《世本》，較早地記載了從黃帝到春秋時期天子、諸侯、大夫的姓氏、世系、居邑，但是這本書到宋朝就失傳了。總之，要想瞭解中國源遠流長的姓氏文化，《百家姓》是一本必備的簡易入門書籍。「書香傳家」系列的《百家姓》，不但介紹了每個姓氏的由來，還列舉了各個姓氏的名人，兼具知識性與趣味性。

《容齋隨筆》

上過學的人都知道筆記的重要性，然而老師講的課是一樣的，學生的筆記卻各不相同。現在學霸的筆記備受推崇，因爲展現了他們卓越的學習方法和對知識的思考。古代文人記筆記的習慣由來已久，魏晋南北朝就有常璩的《華陽國志》、干寶的《搜神記》、劉義慶的《世說新語》等名作，這些筆記小說大多是見聞隨筆，或從書中摘錄片段的合集。唐宋以後，歷史掌故、辯證考據類的筆記多了起來。《容齋隨筆》爲南宋大才子洪邁（號容齋）耗時四十年整理而成，一共分爲五部分，有七十四卷，含一千二百多則，歷史掌故、典章制度、社會風俗、天文曆算、文學藝術，無不涵蓋，特別是歷史人物、歷史事件相關的內容，考證十分詳實，議論頗有見地，還糾正了不少經史中的錯誤，是宋人筆記中內容最豐富、學術價值最高的一部。《容齋隨筆》是一本國學百科全書，當成學霸的筆記來讀也未嘗不可，一方面可以增長見聞，一方面可以領悟讀書的方法，並以此爲博覽經史原典的敲門磚。據史料記載，偉人毛澤東生前非常喜愛閱讀此書，直至離世前仍由工作人員爲其閱讀該書部分內容。

《三字經》

在中國傳統的啟蒙書籍中，《三字經》必然是最經典的一部，幾乎人人都熟悉開頭那兩句——人之初，性本善。這三字一句的形式，很具備兒歌的特點，易於誦讀和記憶。《三字經》雖短卻精，且內容十分豐富，將歷史、天文、地理、道德等方面的知識和大量典故融匯串連在一起，堪稱是一部極簡版的中國文化「小百科全書」，因此有「熟讀《三字經》，可知千古事」的說法。《三字經》從誕生之日起就大受歡迎，廣爲流傳，與《百家姓》《千字文》並稱中國傳統蒙學三大讀物。讀《三字經》可以發現，書中不但歸納總結了許多古代的文化常識，還告訴人們應當勤學好問、尊師重道、謙恭禮讓等人生的道理，體現了積極向上的精神，雖已暢行千百年，卻歷久彌新，在當今時代仍然具備知識性和實用性的國學入門的作用，可以給人們以簡易的知識和正向的力量。

《傳習錄》

曾有人給出過這樣的評價，中華上下五千年，能「立德、立功、立言」三不朽的聖人，衹有兩個半：孔子、王陽明，曾國藩衹算半個。孔子，至聖先師，無人不知；曾國藩，湘軍首領，中興名臣。而王陽明，最讓人熟悉的莫過於「知行合一」「心外無物」的「陽明心學」了。想要瞭解孔子，可以讀《論語》；想要瞭解曾國藩，可以讀《曾國藩家書》；想要瞭解王陽明，自然要讀《傳習錄》。《傳習錄》之名取自《論語》中曾子的話：「吾日三省吾身，爲人謀而不忠乎？與朋友交而不信乎？傳不習乎？」由此可見，想要讀懂《傳習錄》，需要具備一定的儒學經典的基礎。作爲儒家作品，《傳習錄》的核心自然也是明德至善，知行一體。而王陽明所提出的「知行合一」則是強調了要知善同時行動，即理論與實際的踐行。因此，讀《傳習錄》，能夠得到的最大收穫就是在日常的工作生活裏，摒棄外界的干擾，修養自己的良知，做到問心無愧，持之以恒。曾經做過三家世界五百強CEO的日本企業家稻盛和夫，就將陽明心學內化爲企業經營之道。

《了凡四訓》

命運是一個很神奇的東西。有的人認爲「命由天定」，但也有人堅信「我命由我不由天」。明朝學者袁了凡十七歲時因爲一位算命先生的話而深陷「宿命

論」，直到三十七歲時在雲谷禪師的開導下醍醐灌頂、頓悟至理，確定了「命由我作，福自己求」的立命之道，此後數十年，袁了凡堅持行善、積極進取，最終「逆天改命」。「父母之愛子，則爲之計深遠」的舐犢之情，晚年的袁了凡有感於自己一生的經歷，給兒子寫下了《了凡四訓》，全書通過立命之學、改過之法、積善之方、謙德之效四個部分，講述了如何依靠後天努力來「修福改命」。晚清名臣曾國藩對《了凡四訓》極爲推崇，他讀過之後給自己改號爲「滌生」，並説：「滌者，取滌其舊染之污也；生者，取明袁了凡之言，『從前種種，譬如昨日死；從後種種，譬如今日生也。』」讀《了凡四訓》，讓你領悟命運真相，明辨善惡標準，堪稱人生必讀的智慧之書。

《紅樓夢圖詠》

相信讀過《紅樓夢》的人，一定都會被書中那些性格鮮明、栩栩如生的人物所打動，甚至對他們傾注或愛或憎的情感，大有恨不相識的遺憾。或許你會想，這些人物應該是怎樣的形象，比如什麼是「似蹙非蹙罥煙眉」，怎樣算「似喜非喜含情目」，「唇不點而紅，眉不畫而翠」會是什麼樣的美。那麼，有沒有

人根據原著的描寫，捕捉人物的特點從而描繪出他們具體的形象呢？當然，爲《紅樓夢》創作的繪畫作品其實有很多，其中的《紅樓夢圖詠》是紅樓繪畫史上水平較高、名氣也較大的一部。這是一部木版畫集，共繪製了通靈寶玉、絳珠仙草、警幻仙子、寶玉、黛玉、寶釵、元春、探春、湘雲、妙玉、王熙鳳等共約五十幅插圖，以高超的版畫技藝，展現出畫作者改琦作品的神韻，所繪形象傳神，線條流暢。如其中黛玉一幅，便以弱不禁風的身姿，刻畫出人物「閑靜時如姣花照水，行動處似弱柳扶風」的氣質。

《芥子園畫譜精品集》

顧愷之、吴道子、張擇端、唐伯虎、齊白石等畫壇巨匠，留下了大量傳世名作。他們無不技藝精湛，卻也都是從零基礎開始學習的。每個人的學習途徑或許不同，如果有一套人人都能看懂的簡明教程，國畫技藝就會更容易讓普通人掌握。比如齊白石大師，原本是雕花木匠，二十歲那年在僱主家無意間看到一本叫《芥子園畫譜》的書，覺得書中循序漸進的講解非常實用，讀過一遍就對繪畫藝術有了一定的理解。所以，即使説白石老人的繪畫藝術之路最初起步

於此書，也並不爲過。此外，任伯年、黄賓虹、傅抱石等繪畫大家也曾用心研習此書。「芥子園」是清初名士李漁（號笠翁）在金陵的别墅，《芥子園畫譜》最初就是在李漁的主持下，由王概、王蓍、王臬三兄弟編繪而成的。本書具有完備的體例，對用筆、寫形、佈局等繪畫的基礎技法做了詳盡的講解和展示，解析了歷代名家的特點，匯集了前人的畫論精華，從問世至今，一直是學習國畫的必修教材。

《中國京劇經典臉譜》

「臉譜化」這個詞，現在一般用來批評藝術作品塑造人物簡單化和概念化。然而與此相反，這恰是「臉譜」這一藝術形式的優點，使其能夠貼合傳統戲曲的表現方式。臉譜，是中國戲曲中特有的化妝藝術，通過按照一定譜式勾畫出的圖案造型來突出角色的性格、身份、年齡、品質等特徵，已形成一些相對固定的代表性顏色，如紅色的代表忠勇、正直；黑色的代表勇猛、直爽；白色的代表奸詐、狠毒；藍色的代表剛強，驍勇；黄色的代表凶暴、沉著，這與歌曲《説唱臉譜》的詞很一致：「藍臉的竇爾敦盜御馬，紅臉的關公戰長沙，黄臉的典韋、白臉的曹操，黑臉的張飛叫喳喳。」因此，臉譜具有「辨忠奸、寓褒貶、别善惡」的功能。《中國京劇經典臉譜》一書收録的臉譜作品，是在漫長的歲月中逐漸演變、完善進而固定的藝術形象，每一幅都構圖精巧，色彩絢麗，筆法細膩，是不可多得的藝術珍品。

創作者孫世良先生是中國著名京劇劇作家、京劇臉譜藝術家翁偶虹先生的再傳弟子，北京市非物質文化遺産傳承人，就職於國家京劇院藝術中心，爲專業京劇臉譜畫家。

集

《楚辭》

《楚辭》的語言文字可以美到什麼程度？光是書中「茂行」「陸離」「微歌」「嘉月」這類典雅的人名，就足已令人驚艷了。《楚辭》的夢幻世界可以有多浪漫？有青衣白裳、箭指西北的東君，他是掌管太陽的神；還有與日月齊光的雲中君，他是飄渺的雲神。衆神都有人的情感，或泛舟江上，或歡聚宴飲，或幽怨哀傷。楚辭的產生，離不開楚國從「荊蠻」發展到「楚霸」的歷史條

件，長江流域的巫覡文化，與中原地區的禮樂文化相交融，就有了生機勃勃的楚文化。《楚辭》是中國文學史上第一部浪漫主義的詩歌總集，獨創一體，別具一格。全書以屈原的辭賦爲主，其餘各篇承襲屈原作品的形式，運用楚地的文學樣式、方言聲韻，故名《楚辭》。梁啟超說：「吾以爲凡爲中國人者，須獲有欣賞《楚辭》之能力，乃爲不虛生此國。」《楚辭》展現了以屈原爲代表的愛國精神、豪邁氣魄和浪漫情懷，因此熟讀《楚辭》，能培養書生狹氣，能讓我們一生受益。

《唐詩三百首》

璀璨大唐三百年，最具代表性的事物是什麼？是天可汗唐太宗李世民？是中華文明的巔峰開元盛世？還是一代女皇武則天？都不是，最能代表璀璨大唐的事物就是唐詩。在唐詩中你能感受到大唐盛世兼容並包的絕代風華，那裏有王勃從容浩蕩的英氣，有李白綉口吐出的巍峨之氣，有李賀苦吟的不羈之氣。在唐詩中你能領略到大唐的厚重，大唐的筋骨，那裏有杜甫的低沉恢弘之氣，有樂天自在的千百鮮明之氣，有邊塞狂歌的狷狂凜冽之氣。聞一多先生認爲：「一般人愛說唐詩，我卻要講『詩唐』，『詩唐』者，詩的唐朝也，懂得了詩的唐朝，纔能欣賞唐朝的詩。」在唐詩中感受大唐，以詩教來熏習和浸染，觸摸到文化的江山，讓胸懷變得更寬廣更博大。不讀唐詩，無法面對優秀的古人，不知道東方情感之由來，亦不能精準表達自己的情感。

《宋詞三百首》

形成於唐，盛極於宋，前與唐詩爭奇，後與元曲鬥艷，是宋代文學最有代表性的成就，這種文體就是「宋詞」。可以說，有一定文化基礎的中國人都知道宋詞，也都可以不經意間脫口而出一二佳篇名句。如充滿豪情時，可以說「想當年，金戈鐵馬，氣吞萬里如虎」；心懷憂愁時，可以說「這次第，怎一個愁字了得」；陷入相思時，可以說「酒入愁腸，化作相思淚」。似乎每一種情緒，在宋詞中都已經有了完美的表達。如何更好地領略宋詞的精彩？《全宋詞》中收錄了一千三百餘位詞人的作品近兩萬餘首。顯然，通讀這麼多的作品並不現實，那麼優秀的選本便會大受歡迎。《宋詞三百首》就是這樣的選本。三百首不多，可以很快通讀；三百首不少，可以兼收各個時期、各個派別的眾

多名家名作。這本《宋詞三百首》，囊括宋詞精華，讀後可以感悟宋詞之美，並初步瞭解宋詞的概況；所選皆爲名篇，便於背誦，有助於古典文學修養的提高，使自己不論言談還是寫作都更有氣質。

《唐宋八大家集》

提起「唐宋八大家」，很多人會問：「爲什麼沒有李白、杜甫、白居易？爲什麼沒有柳永、陸游、辛棄疾？」因爲這八個人代表了唐宋時期散文的最高水準，而非詩詞。我們都知道，唐朝是詩歌的黄金年代，而沒有體裁和題材方面的創新，就不會湧現出那麼多不朽的傑作。白居易提出「文章合爲時而著，歌詩合爲事而作」的口號，倡導「新樂府運動」。與之相呼應的正是韓愈、柳宗元倡導的「古文運動」，他們同樣强調寫文章要言之有物。「言之有物」看似容易，我們上學時，語文老師講作文的時候就一再强調這一點，可是文筆不好就詞不達意，文筆太好又總是變著法地運用修辭、引用典故、堆砌辭藻，顧此失彼，文章難免會「金玉其外，敗絮其中」。「唐宋八大家」的文章，推崇先秦諸子和《史記》《漢書》，一掃六朝辭賦的艷俗與空洞，衝破四六駢偶的程式和窠臼，文章形式雖然復古，但是內容推陳出新，很接地氣，是老百姓讀得懂的古文，完美展現了中華文化的「文質彬彬」。這八位文曲星就是：韓愈、柳宗元、歐陽修、王安石、蘇洵、蘇軾、蘇轍、曾鞏，他們都有驚天地、泣鬼神的千古文章傳世。

《小窗幽記》

互聯時代來臨，世人莫不在加快節奏追逐社會步伐，關於生活的本真、人生的目的，人們實在難以顧及。有一部書，用它雋永的文思、淡雅的文字，指引你爲人處世，開導你在平淡中領略人生，它就是《小窗幽記》。「花繁柳密處，撥得開，纔是手段；風狂雨急時，立得定，方見腳根」，這是勸誡成功者的良藥，「情最難久，故多情人必至寡情。性自有常，故任性人終不失性」，這是冷靜處事的心思。「興來醉倒落花前，天地即爲衾枕；機息忘懷磐石上，古今盡屬蜉蝣」，這是過來人燈火闌珊處的回眸。明代陳繼儒以其豐富的經歷、遠博的思想、高峻的修養撰得《小窗幽記》這部奇書，將修身、立德、爲學、致仕、立業、治家、養生的全部智慧和原則融入此書，文字跳脫愜意，格調超

拔，以小喻大，充滿了諧趣與真知。面對人生，作者給出的答案還將久久的流傳下去，那就是「時光，濃淡相宜；人心，遠近相安；流年，長短皆逝；浮生，往來皆客。」

《納蘭詞》

他是文武俱佳的翩翩公子，他是康熙皇帝御下一等侍衛，他是才華橫溢的傷心詞人。他，就是「清詞三大家」之一的納蘭性德。納蘭文武兼修，十七歲入國子監，十八歲考中舉人，二十二歲康熙賜進士出身。深受康熙帝賞識，多隨駕出巡。三十一歲英年早逝。納蘭性德二十四歲時將詞作編選成集，名爲《側帽集》，又著《飲水詞》。後人將兩部詞集增遺補缺，共三百四十九首，合爲《納蘭詞》。「今古河山無定據。畫角聲中，牧馬頻來去」是對山河流逝的慨嘆；「山一程，水一程，身向榆關那畔行，夜深千帳燈」是長途行軍中軍士的苦悶；「被酒莫驚春睡重，賭書消得潑茶香，當時祇道是尋常」是失去妻子的丈夫回憶與亡妻昔日美好的酸楚；「西風多少恨，吹不散眉彎」展現的是深情男子的無盡哀思。

儘管清詞成就比不上宋詞，但也在文學史上留下了自己獨特的印記。清詞代表《納蘭詞》，不僅在清代詞壇享有很高的聲譽，而且在中國文學史上也佔有光彩奪目的一席。翻開《納蘭詞》，走近這位傳奇男子的一生，去體味，去發現，清詞怎一個「真」字了得？

《曾國藩家書》

有學者說：「五百年來，能把學問在事業上表現出來的，祇有兩人：一爲明朝的王守仁，一則清朝的曾國藩。」曾國藩作爲集政治家、戰略家、理學家、文學家、書法家等於一身的晚清名臣，因官居高位而無暇著書立說。不過，他寫給家人的大量家書，就成爲瞭解曾國藩的第一手資料，同時也是瞭解清末社會狀況的寶貴史料。家書，即家人之間來往的書信。在古代，家書是離家在外的人與家中親人的主要聯繫方式之一。家書可簡可繁，可以祇表達思念及關切之情，也可以暢敘經歷及感觸，通常都很真實，沒有虛假客套。《曾國藩家書》中收錄了曾國藩寫給祖父、父母、叔父、兄弟、子女等不同人的書信，其政治理念、治軍思想、治學修身、治家教子、處世交友等也都在其中得到

了充分的體現。這些内容使這部《曾國藩家書》除了具備史料價值，還是一部生活處世的實用寶典，對我們的日常生活也有可資借鑒的意義和價值。

《人間詞話》

「最是人間留不住，朱顏辭鏡花辭樹。」作爲民國時期最爲著名的國學大師之一，能夠寫出這樣優美的詞句，對王國維來説實在不算稀奇；相較於他的詞作，《人間詞話》纔是真正讓他在廣大文藝青年心中「封神」的傑作。就算是没有看過《人間詞話》的人，也能隨口説出「古今之成大事業、大學問者，必經過三種之境界」。作爲中國文藝理論里程碑式的作品，《人間詞話》首次將西方美學思想融入到中國古典詩詞的點評中，你能想象，這樣一本薄薄的小册子竟然藴含著康德、叔本華的整套美學體系？更爲重要的是，在這本書中，王國維融會貫通，提出並建立了獨特的文藝理論體系，並成功勾起了廣大文藝愛好者們對於古典詩詞的興趣，很多人就是從這本書開始，成爲文學家、學者和文藝批評家的。如果你也對古典文學特别是古典詩詞感興趣，那麼一定要讀一讀這本《人間詞話》。

圖書在版編目（CIP）數據

孟子 /（戰國）孟子著 ；崇賢書院釋譯. -- 北京 ：北京聯合出版公司，2015.7（2022.3重印）
（書香傳家 / 李克主編）
ISBN 978-7-5502-5551-7

Ⅰ. ①孟… Ⅱ. ①孟… ②崇… Ⅲ. ①儒家②《孟子》-注釋③《孟子》-譯文 Ⅳ. ①B222.5

中國版本圖書館CIP數據核字(2015)第133733號

ISBN 978-7-5502-5551-7

崇賢館微信

書名	孟子
著作者	（戰國）孟子 著 崇賢書院 釋譯
出品人	趙紅仕
責任編輯	崔保華
出版發行	北京聯合出版公司
地址	北京市西城區德外大街83號樓9層 郵編：100088
策劃經銷	近道堂
印刷	吴橋金鼎古籍印刷廠
字數	一百三十六千字
開本	宣紙八開
印張	二十一點一二五
版次	二〇一五年七月第一版 二〇二二年三月第四次印刷
標準書號	ISBN 978-7-5502-5551-7
定價	肆佰捌拾圓整（一函兩册）